1 幽《ゆう》霊《れい》屋《や》敷《しき》レイナムホール

セカイの千怪奇《せんかいき》

SEKAI NO SENKAIKI

木滝りま　太田守信・作
先崎真琴・絵

世界《せかい》は、千々《ちぢ》の怪奇《かいき》にあふれ、
科学《かがく》では説明《せつめい》できない現象《げんしょう》がおきている。
その真実《しんじつ》を、人類《じんるい》は未《いま》だ知《し》り得《え》ない。

もくじ

プロローグ……8

1 巨《きょ》像《ぞう》モアイは夜《よる》歩《ある》く　イースター島《とう》（チリ）……13

2 幽《ゆう》霊《れい》屋《や》敷《しき》レイナムホール　イギリス……55

3 人《にん》魚《ぎょ》伝《でん》説《せつ》　８００年生きた尼《あま》　日本《にほん》……85

4 吸《きゅう》血《けつ》ＵＭＡ《ユーマ》チュパカブラの謎《なぞ》　プエルトリコ（アメリカ合衆国《がっしゅうこく》）……117

5 呪《のろ》いの森ホィア・バキュー・フォレスト　ルーマニア……143

エピローグ……172

世開《せかい》　未知人《みちと》

中学１年の12歳《さい》。父《ちち》・世開《せかい》 豪《ごう》とともに世界中《せかいじゅう》の怪奇現象《かいきげんしょう》を追《お》う。端整《たんせい》な顔《かお》だちだが、身《み》だしなみには無頓着《むとんちゃく》。過去《かこ》のある事件《じけん》からオカルトにのめりこみ、クラスでは変人《へんじん》とよばれる。

登場人物《とうじょうじんぶつ》

世開《せかい》 豪《ごう》

未知人《みちと》の父《ちち》。元《もと》は大学教授《だいがくきょうじゅ》で考古学者《こうこがくしゃ》。オカルト動画配信《どうがはいしん》サイト「オーチューブ」で「ミステリーガイド・ゴウ」として活動《かつどう》。寒《さむ》いギャグをよくいう。

天堂《てんどう》 マコ

中学１年の12歳《さい》。未知人《みちと》とは保育園《ほいくえん》のころからのつきあいで、小・中学校も同《おな》じ。合気道部《あいきどうぶ》と弁論《べんろん》部《ぶ》に所属《しょぞく》。しっかり者《もの》のパワーガール。

アーサー

フィッツジェラルド家《け》の執事《しつじ》でイギリス人。わがままなお嬢様《じょうさま》、アンナに翻弄《ほんろう》されがち。

アンナ・フィッツジェラルド

怪奇現象《かいきげんしょう》をネタにする12歳《さい》のオーチューバー。フィッツジェラルド家《け》の財《ざい》力《りょく》を使《つか》って世界中《せかいじゅう》で動画《どうが》を撮影《さつえい》している。父《ちち》はイギリス人、母《はは》は日本人《にほんじん》。

4 吸血《きゅうけつ》UMA《ユーマ》チュパカブラの謎《なぞ》
プエルトリコ（アメリカ合衆国《がっしゅうこく》）
3 人魚伝説《にんぎょでんせつ》 800年生きた尼《あま》
日本《にほん》
1 巨像《きょぞう》モアイは夜歩《よるある》く
イースター島《とう》（チリ）
N
W
E
S
日付変更線《ひづけへんこうせん》

2 幽《ゆう》霊《れい》屋《や》敷《しき》レイナムホール
イギリス
赤道《せきどう》
5 呪《のろ》いの森《もり》ホィア・バキュー・フォレスト
ルーマニア
この本《ほん》にのっている写真《しゃしん》は、
すべて現地《げんち》で撮影《さつえい》されたものだ

プロローグ

ヴーン、ヴーン

なにかがはげしく振動《しんどう》するような音《おと》を耳にして、未知人《みちと》は目をさました。

まどからさしこむまばゆい光《ひかり》にてらされて、5歳《さい》の誕生日《たんじょうび》に父《ちち》からもらった恐竜《きょうりゅう》のおもちゃが、まるで生きているかのように、くっきりとうかびあがって見える。

となりにねていた母《はは》のすがたはなく、開《あ》けはなたれたまどには、カーテンがひるがえっていた。

「……母《かあ》さん?」

未知人《みちと》は、ベッドをぬけだし、おそるおそるまどに近《ちか》づく。

まどの外《そと》は、異様《いよう》な光《ひかり》につつまれ、目を開《あ》けていられないほどのあかるさだった。

「母《かあ》さん、どこ?」

ひろい洋館《ようかん》の庭《にわ》を見おろした未知人《みちと》は、思《おも》わずいきをのむ。

目もくらむような光《ひかり》のなかに、子どもくらいの背《せ》たけの、小さな人影《ひとかげ》が立っていたのだ。その足元《あしもと》には、大人《おとな》サイズの人影《ひとかげ》が横《よこ》たわっている。

「……あれはだれ？　母《かあ》さん、こわいよ……」

未知人《みちと》は、ふるえながらつぶやく。

――そのときだった。

ふたつの人影《ひとかげ》が、宙《ちゅう》にうきあがった。

「母《かあ》さんっ‼」

未知人《みちと》はさけんだ。

大人《おとな》サイズの人影《ひとかげ》は、母《はは》だったのだ。

横《よこ》たわったまま、宙《ちゅう》にういている。

「ダメ！　いかないで！」

さけびながら寝室《しんしつ》をとびだした未知人《みちと》は、階段《かいだん》をかけおり、1階《かい》のふきぬけの広間《ひろま》におりた。

小さな足でペタペタと大理石《だいりせき》の床《ゆか》をふみ、玄関《げんかん》へとむかう。

重《おも》いとびらを開《あ》け、裸足《はだし》で庭《にわ》にでた。

見あげると、庭《にわ》の上空《じょうくう》には、巨大《きょだい》な雲《くも》のような、光《ひかり》のかたまりがあった。

巨大《きょだい》な光《ひかり》にのみこまれてしまったのか、ふたつの人影《ひとかげ》はすでに見えない。

「母《かあ》さん、どこ⁉ どこにいるの⁉ 母《かあ》さん！ 母《かあ》さん！ 母《かあ》さんっ‼」

ヴーン、ヴーン

振動音《しんどうおん》は、さらに大きくなり、なきさけぶ未知人《みちと》の声《こえ》をかき消《け》していく。

空をおおう巨大《きょだい》な光《ひかり》は、無数《むすう》の光《ひかり》のあつまりとなって点滅《てんめつ》しはじめた。

ヴーンという音は、耳をつんざくほどの大音響《だいおんきょう》となり……。

とつじょ、その音がとぎれた。

「未知人《みちと》……」

かすかな母《はは》の声《こえ》が、未知人《みちと》の耳にとどく。

「……母《かあ》さ…ん……」

未知人《みちと》の意識《いしき》は、遠《とお》のいていった。


目をさましたとき、すべては夢《ゆめ》かと思《おも》った。しかし、夢《ゆめ》ではなかった。

その日以来《いらい》、母《はは》は行方不明《ゆくえふめい》になってしまったのである。

発掘調査《はっくつちょうさ》で海外《かいがい》にいた考古学者《こうこがくしゃ》の父《ちち》は、事件《じけん》を知《し》り、日本《にほん》にとんで帰《かえ》ってきた。

警察《けいさつ》で未知人《みちと》は、なんどもおなじ話《はなし》をした。

しかし警察《けいさつ》は、未知人《みちと》の話《はなし》を信《しん》じなかった。

「ちがう、うそなんかじゃない！　父《とう》さん、ぼくは、ほんとうに……」

「よしよし。父《とう》さんは、未知人《みちと》の話《はなし》を信《しん》じるよ」

父《ちち》はそういって頭《あたま》をなでてくれたが、それは親《おや》が子どものたわいもない話《はなし》をいなすような態度《たいど》で、本気で信《しん》じてくれたかどうかは、今《いま》でもわからない。

大学《だいがく》の考古学教授《こうこがくきょうじゅ》だった父《ちち》は、職《しょく》をなげうって、母《はは》の行方《ゆくえ》をさがしはじめた。

しかし、なんの手《て》がかりも得《え》られないまま、歳月《さいげつ》だけがすぎていった――。

1 巨像《きょぞう》モアイは夜《よる》歩《ある》く

イースター島《とう》（チリ）

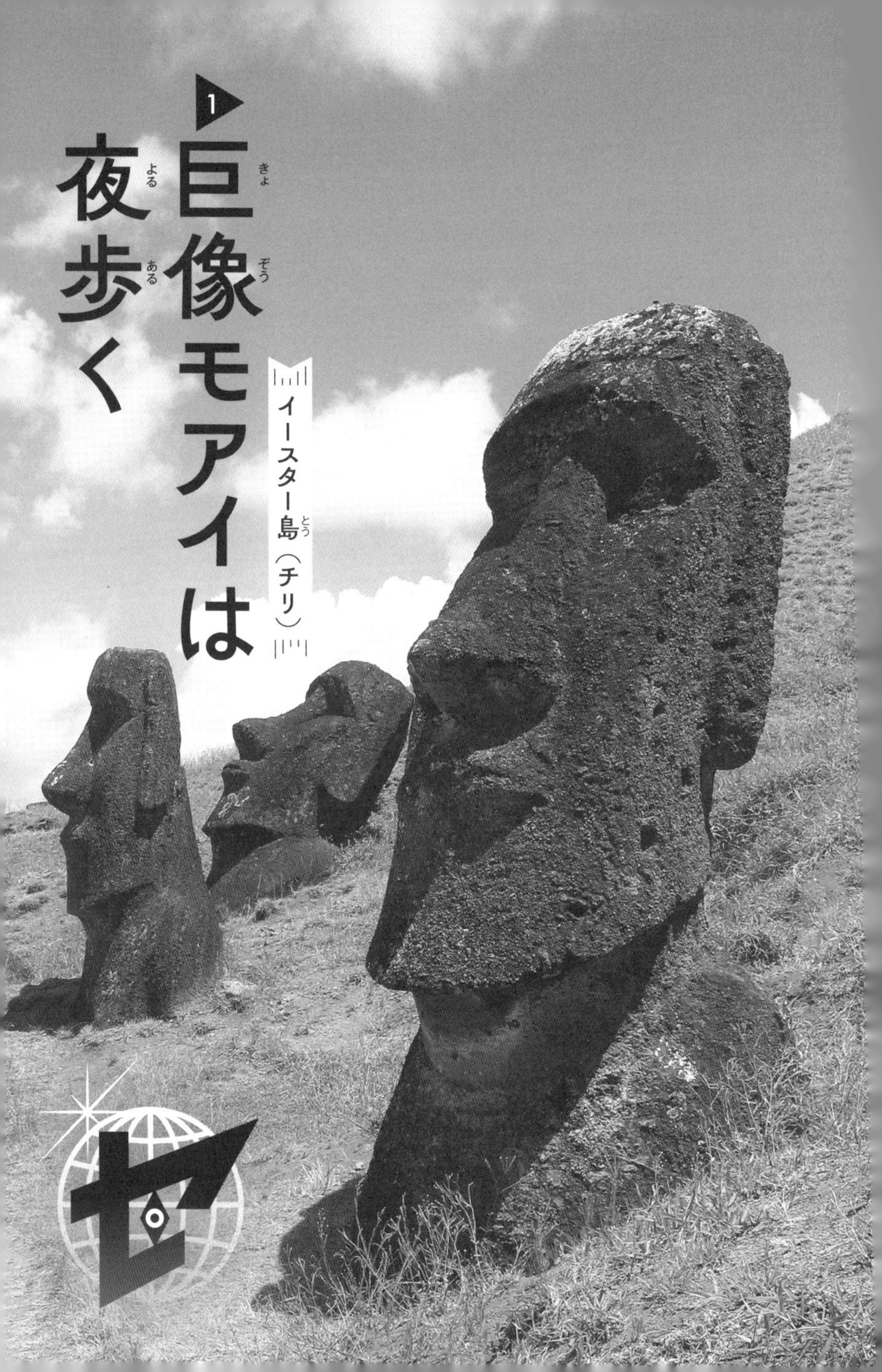

「巨人《きょじん》だ！　巨人《きょじん》が海《うみ》のなかにいるぞ！」

1722年4月5日、南太平洋《みなみたいへいよう》をゆくオランダ軍艦《ぐんかん》のうえで見はりをしていた乗組員《のりくみいん》が、とつぜん、声《こえ》をはりあげた。

朝《あさ》もやのなか、海《うみ》のむこうに、巨大《きょだい》な人の顔《かお》のような影《かげ》が見える。

さわぎをききつけ、乗組員《のりくみいん》たちが甲板《かんぱん》にあつまってきた。隊長《たいちょう》として艦隊《かんたい》を率《ひき》いていたヤコブ・ロッヘフェーンも、そのなかのひとりだった。

「巨人《きょじん》？　いや、ちがう……あれは像《ぞう》だ！　陸地《りくち》に巨大《きょだい》な顔《かお》の像《ぞう》が立っているんだ！」

双眼鏡《そうがんきょう》をのぞきこんだロッヘフェーンは、興奮《こうふん》した声《こえ》でさけんだ。

「あれこそが、海賊《かいぞく》たちが、うわさしていた大陸《たいりく》にちがいない……やった！　われわれは、ついに幻《まぼろし》の大陸《たいりく》を発見《はっけん》したぞ！」

ところが上陸《じょうりく》してたしかめた結果《けっか》、大陸《たいりく》だと思《おも》われていた陸地《りくち》は、全周《ぜんしゅう》60キロ足《た》らずの（車だと2時間《じかん》ていどで1周《しゅう》できる）小さな島《しま》だとわかった。

大海原《おおうなばら》にかこまれたこの島《しま》は、いちばん近《ちか》い南《みなみ》アメリカ、チリの海岸《かいがん》まで3800キロほどもある絶海《ぜっかい》の孤島《ことう》だったのだ。

「……それにしても、ふしぎだ。この巨像《きょぞう》は、いったいなんなんだ?」

人間《にんげん》の身長《しんちょう》の10倍《ばい》以上《いじょう》もある巨大《きょだい》な顔《かお》の像《ぞう》を見あげ、ロッヘフェーンはつぶやく。

発見《はっけん》された日は、奇《く》しくもイースター。

キリストの復活《ふっかつ》を祝《いわ》うお祭《まつ》りの日だった。

島《しま》は、その日にちなんで、**「イースター島《とう》」**と名づけられた。

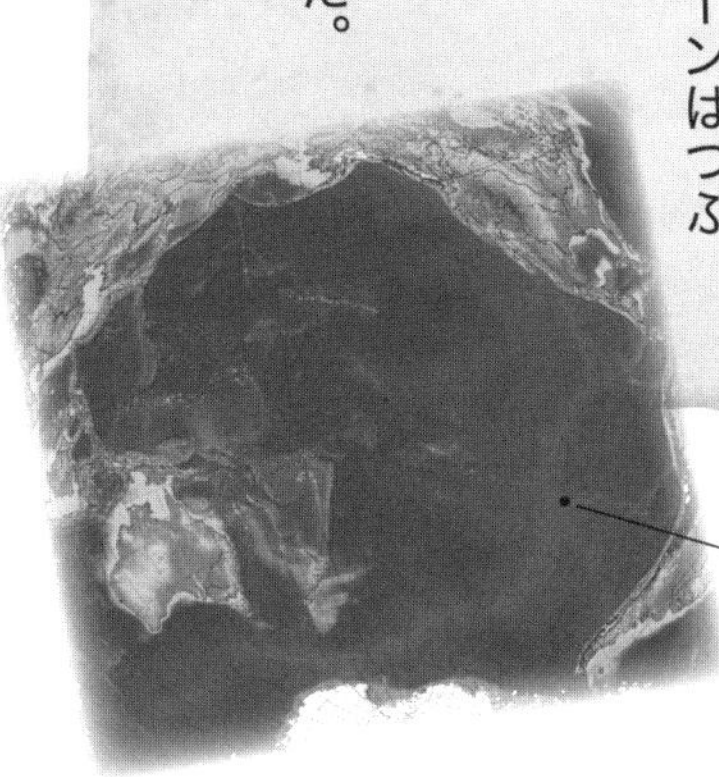

東京郊外《とうきょうこうがい》の閑静《かんせい》な住宅街《じゅうたくがい》にある私立《しりつ》学校の中等部《ちゅうとうぶ》。

だれもいない放課後《ほうかご》の図書室《としょしつ》で、ひとりの少年《しょうねん》が本のページをめくりながら、銀色《ぎんいろ》の髪《かみ》をかきあげた。

寝《ね》グセのついたボサボサ頭《あたま》だが、よく見ると整《ととの》った顔《かお》だちをしている。

しかし、その顔《かお》には、どこか影《かげ》があった。

長《なが》いまつ毛《げ》にふちどられた瞳《ひとみ》には、暗《くら》い光《ひかり》が宿《やど》っている。

少年《しょうねん》の名は、世開未知人《せかいみちと》。中等部《ちゅうとうぶ》の1年だ。

母《はは》をうしなった7年前《まえ》のあの日、未知人《みちと》は一夜《いちや》にして銀髪《ぎんぱつ》になり、以来《いらい》、黒《くろ》い髪《かみ》がまったく、はえてこなくなったのだ。

「未知人《みちと》、ここにいたの？　部活《ぶかつ》おわったから、たまにはいっしょに帰《かえ》ろう」

ひとりの少女《しょうじょ》がポニーテールをゆらしながらやってきて、未知人《みちと》にそう声《こえ》をかけた。

少女《しょうじょ》の名《な》は、天堂《てんどう》マコ。未知人《みちと》の幼《おさな》なじみで同級生《どうきゅうせい》。

ややふとめの眉《まゆ》と、大《おお》きな瞳《ひとみ》が印象的《いんしょうてき》な、意志《いし》の強《つよ》そうな少女《しょうじょ》である。

「おお、マコか。オレが図書室《としょしつ》にいるって、よくわかったな」

「0歳《さい》からのつきあいだもの。未知人《みちと》の行動《こうどう》パターンくらい、すべてお見とおしよ。

……で、なに？　またオカルト本《ぼん》に夢中《むちゅう》になってたの？」

マコは、未知人《みちと》が読《よ》んでいた『**イースター島《とう》　モアイの謎《なぞ》**』というタイトルの本を手にとり、パラパラとページをめくる。

イースター島
モアイの謎

「オカルト本《ぼん》じゃない。古代遺跡《こだいいせき》の本さ」

未知人《みちと》はいいながら、さりげなく本をとりかえし、マコにたずねた。

「……で、オレになんか用《よう》？」

「え？」

「合気道部《あいきどうぶ》と弁論部《べんろんぶ》をかけもちする、おいそがしいマコが、部活帰《ぶかつがえ》りにオレに会《あ》いにきたってことは、なんかたのみごとでもあるんじゃないかと思《おも》ってさ」

「さっすが未知人《みちと》、察《さっ》しがいいわね。じつはさ、また英語《えいご》の弁論大会《べんろんたいかい》があって……」

弁論大会《べんろんたいかい》とは、じぶんの意見《いけん》をじぶん自身《じしん》のことばで語《かた》るスピーチの競技会《きょうぎかい》だ。

マコは、国内《こくない》の大会《たいかい》で優勝《ゆうしょう》を総《そう》なめにし、初等部《しょとうぶ》5年のとき、国連《こくれん》でスピーチをした経歴《けいれき》をもつ、文武両道《ぶんぶりょうどう》のハイスペックな女子だ。

しかし、こと英語《えいご》にかけては、未知人《みちと》のほうがスペックが高《たか》い。

国連《こくれん》でのスピーチのときも、じつは未知人《みちと》がマコの書《か》いた英語《えいご》の原稿《げんこう》を添削《てんさく》し、発音《はつおん》の指導《しどう》までしたのだ。

以来《いらい》、マコは、英語《えいご》の弁論大会《べんろんたいかい》があるたびに、こうして未知人《みちと》をたよってくるようになった。

「まあ、これくらいの内容《ないよう》なら、30分《ぷん》もあればチェックできるな。今夜《こんや》、なおしてマコんちのポストに入れとくよ」

マコからわたされたスピーチの原稿《げんこう》にザッと目をとおし、未知人《みちと》はいう。

「サンキュ！　やっぱもつべきものは、英語《えいご》がネイティブなみの幼《おさな》なじみよね～」

マコは、調子《ちょうし》のいいことをいったあと、未知人《みちと》に気をつかってか、こうつけくわえた。

「あ、でも、いそがなくていいのよ。今週中《こんしゅうちゅう》くらいに、学校で会《あ》ったとき、わたしてくれれば……」

「あいにく、明日《あした》から日本《にほん》にいないんだ」

「え？」

「親父《おやじ》とイースター島《とう》へいく」

「ああ……それで」

マコは、『イースター島《とう》　モアイの謎《なぞ》』の本に目を落《お》とし、ためいきをつく。

「どうでもいいけど、未知人《みちと》、旅行《りょこう》にいっているあいだもオンラインでちゃんと授業《じゅぎょう》はうけるのよ。いくら在宅通学《ざいたくつうがく》がみとめられている学校だからって、出席日数《しゅっせきにっすう》が足りなかったら、そく、留年《りゅうねん》なんだからね」

「わかったよ」

未知人《みちと》は、ぶっきらぼうにこたえたあと、うつむきながら、ニヤリとほほ笑《え》む。

（……ったく、マコのおせっかいな性格《せいかく》は、ガキのころから変《か》わんないよな～）

ポケットをさぐると、そこには、ビー玉のかたい感触《かんしょく》があった。

7年前《まえ》のあの日、母《はは》をうしなった未知人《みちと》に、「元気《げんき》だしてね」といいながら、マコがくれたものだ。

未知人《みちと》は、それを今《いま》でもお守《まも》りがわりに、ポケットに入れてもち歩《ある》いている。

もちろん、そのことをマコは知《し》らない。

「ちょっと未知人《みちと》、なにニヤニヤしてんの？　わたしの話《はなし》、ちゃんときいてる？」

「はいはい、きいてますって」

そんなことをいいあいながら、ふたりは図書室《としょしつ》をあとにする。

夕焼《ゆうや》け空を見あげたとき、未知人《みちと》の瞳《ひとみ》には、ほんのすこしあかるい光《ひかり》が宿《やど》っていた。

「それじゃ、出発《しゅっぱつ》だ！ イースター島《とう》だけに、いいスタートをきろう！」

未知人《みちと》の父《ちち》、世開《せかい》 豪《ごう》が、ダジャレを一発《いっぱつ》さけんで、アクセルをふみこむ。

ホテルの駐車場《ちゅうしゃじょう》をでると、そこには秘境《ひきょう》という名にふさわしい、雄大《ゆうだい》な景色《けしき》がひろがっていた。

成田空港《なりたくうこう》から11時間《じかん》とんで太平洋《たいへいよう》の島《しま》、タヒチへ。4時間《じかん》のまち時間《じかん》を経《へ》て飛行機《ひこうき》をのりつぎ、さらに5時間《じかん》。未知人《みちと》と父《ちち》は、ここ、イースター島《とう》にやってきた。

イースター島《とう》と日本《にほん》とのあいだには時差《じさ》があり、イースター島《とう》のほうが日本《にほん》より15時間《かん》おそい。

早朝《そうちょう》5時《じ》に日本《にほん》を出発《しゅっぱつ》したふたりは、現地時間《げんちじかん》の朝《あさ》、10時《じ》にマタベリ国際空港《こくさいくうこう》にたどりついた。日本《にほん》は今《いま》ごろ、日づけが変《か》わって、深夜《しんや》の1時《じ》だ。

ホテルにチェックインしてすぐ、フェドーラ帽《ぼう》、レザーベスト、ブーツという、いつものコスチュームにきがえた父《ちち》・豪《ごう》は、レンタカーを借《か》り、未知人《みちと》を撮影《さつえい》がてらのドライブにつれだしたのだ。

旅《たび》なれたふたりは、飛行機《ひこうき》のなかで熟睡《じゅくすい》しているので、このような強行軍《きょうこうぐん》も苦《く》ではない。

「ナビなんか見なくたって、道《みち》はだいたいわかるさ。学生時代《じだい》からなんどもきてるからな。ここ、**ラパ・ヌイ**には」

豪《ごう》は、そういって、軽快《けいかい》にハンドルをきる。

イースター島《とう》とは、あくまでも西洋人《せいようじん》がつけた名前《なまえ》。

この島《しま》は現地《げんち》のことばで、ラパ・ヌイ――**かがやく大きな場所《ばしょ》**とよばれている。

その歴史《れきし》は、4世紀《せいき》ごろにはじまったらしい。

遠《とお》くはなれた島《しま》から海《うみ》をわたってきた**長耳族《ちょうじぞく》**が、この島《しま》にすみはじめたのがさいしょだといわれている。

▲海《うみ》を見つめる7体《たい》のモアイ像《ぞう》

人をかたどった巨大《きょだい》な像《ぞう》——モアイをつくりはじめたのも、その長耳族《ちょうじぞく》だ。

さいしょは、1メートルくらいの小さなものだったが、のちに**短耳族**《たんじぞく》がこの島《しま》にやってくると、長耳族《ちょうじぞく》は、短耳族《たんじぞく》を労働者《ろうどうしゃ》としてつかい、最大《さいだい》のもので高《たか》さ21メートル、重《おも》さ160トンにもなる超巨大《ちょうきょだい》なモアイ像《ぞう》がつくられるようになったという。

そのころ、イースター島《とう》は、ゆたかな森林にめぐまれていたらしいが、現在《げんざい》は、ほとんど木がはえていない。どこまでいっても、緑《みどり》の草原《そうげん》がつづいている。

「よし、ついたぞ」

豪《ごう》がさいしょに車をとめたのは、島《しま》の東《ひがし》にあるラノ・ララク山だった。

▼ラノ・ララク山にちらばるモアイ像《ぞう》

ここは岩肌《いわはだ》がむきだしになった火山《かざん》で、島《しま》のモアイ像《ぞう》のほぼすべてが、この山の石からつくられたといわれている。

いわば、モアイの製造工場《せいぞうこうじょう》のような場所《ばしょ》だ。

山の斜面《しゃめん》には、いくつものモアイ像《ぞう》がちらばり、遊歩道《ゆうほどう》を歩《ある》いていると、まるで巨人《きょじん》の国《くに》にまよいこんだような錯覚《さっかく》におちいる。

「ロケーションもいいし、ここで一発《いっぱつ》、オープニングの撮《さつ》

影《えい》をしよう」

豪《ごう》は、未知人《みちと》にビデオをまわさせると、自分《じぶん》はモアイ像《ぞう》の前《まえ》に立ち、しゃべりはじめた。

「はいっ、世界《せかい》の謎《なぞ》にせまる**ミステリーガイド・ゴウ**です！　今日《きょう》は、こちらにやってきました。ドドン！　イースター島《とう》！　イースター島《とう》といえば、モアイ！　モアイがあるから、**モア・ベター！　モア・いい**、ナンチャッテ！

なんとなんと、この島《しま》では、

最近《さいきん》、モアイ像《ぞう》が**夜《よ》な夜《よ》な歩《ある》きだす**という事件《じけん》が勃発《ぼっぱつ》しているそうなんですね～。その謎《なぞ》を、これからドドンと、解明《かいめい》していきたいと思《おも》います！」

大学をやめた父・豪《ごう》は、1年間《かん》、母《はは》の行方《ゆくえ》をさがしつづけたが、生活《せいかつ》に窮《きゅう》し、新《あら》たな仕事《しごと》をはじめた。

UFO《ユーフォー》（未確認飛行物体《みかくにんひこうぶったい》）にUMA《ユーマ》（未確認生物《みかくにんせいぶつ》）、古代遺跡《こだいいせき》にオーパーツ、そして心霊《しんれい》――科学《かがく》ではときあかせない不可思議《ふかしぎ》な現象《げんしょう》を、現場《げんば》にでむいて調査《ちょうさ》し、そのようすをオカルト系動画配信《けいどうがはいしん》サイト「オーチューブ」にアップするのが現在《げんざい》の父《ちち》の仕事《しごと》だ。

動画《どうが》にさしこむ広告《こうこく》が、親子《おやこ》の収入源《しゅうにゅうげん》。

動画《どうが》を見る人がおおければおおいほど、収入《しゅうにゅう》はアップする。

未知人《みちと》は、6歳《さい》のころから父《ちち》につれられ、世界各地《せかいかくち》をとびまわっていた。

ネイティブなみの英語力《えいごりょく》は、そんな生活《せいかつ》のなかで、いつのまにか身《み》についたものだ。

今回《こんかい》、ふたりがイースター島《とう》をおとずれたのは、モアイ像《ぞう》が夜歩《よるある》くという謎《なぞ》を調査《ちょうさ》するため。島民《とうみん》や観光客《かんこうきゃく》たちのあいだで**「歩《ある》くモアイ像《ぞう》を見た」**という目撃者《もくげきしゃ》がぞくぞくとあらわれ、ネットをザワつかせていたのだ。

未知人《みちと》は、さいしょ、ばかばかしいと思《おも》っていた。

いってみて、うわさはガセだったというオチになる可能性《かのうせい》が高《たか》いとふみ、イースター島《とう》へいくことを反対《はんたい》した。

しかし父《ちち》は、今回《こんかい》の案件《あんけん》には、スポンサーがついているので心配《しんぱい》はいらないという。

「スポンサー」というのは、豪《ごう》の常連依頼主《じょうれんいらいぬし》だ。

とてつもない大富豪《だいふごう》のようだが、未知人《みちと》はくわしくは知《し》らない。

道楽《どうらく》なのか仕事《しごと》なのかわからないが、たびたび豪《ごう》にミステリースポットやUMA《ユーマ》の調査《ちょうさ》を依頼《いらい》してくる。

この場合《ばあい》、飛行機《ひこうき》ならファーストクラス、ホテルも超一流《ちょういちりゅう》、高級《こうきゅう》レストランでの食事《しょくじ》つき……といったぐあいで、すべてがタダになる。

そびえ立つモアイ像《ぞう》を見あげながら、イースター島《とう》にきてよかったと、未知人《みちと》もすなおに感《かん》じた。

「本物《ほんもの》は、すごい迫力《はくりょく》だね。一見《いっけん》の価値《かち》がある……」

「だろ？　本や写真《しゃしん》で見るのとはケタちがいだろ？」

と、父《ちち》はうれしそうにいう。

「見ろ！」

と、山の斜面《しゃめん》に横《よこ》たわるモアイ像《ぞう》を指《ゆび》さす父《ちち》。

「これは、ほりだしのとちゅうで放置《ほうち》されたものさ。モアイ像《ぞう》は、こんなふうに横《よこ》にした状態《じょうたい》で、岩《いわ》からほりだされたんだ。30人がかりで1年半《ねんはん》かかったともいわれている」

石器《せっき》しかもたなかった当時《とうじ》のイースター島民《とうみん》は、そんな苦労《くろう》をしてまで、なぜ巨大《きょだい》なモアイ像《ぞう》をつくりあげたのだろう？

現地《げんち》のことばで「**未来《みらい》に生きる**」という意味《いみ》のモアイは、長耳族《ちょうじぞく》が自分《じぶん》たちの先祖《せんぞ》を祀《まつ》るためにつくったという説《せつ》が有力《ゆうりょく》だが、はっきりとした理由《りゆう》は、未《いま》だあきらかにされていない。

謎《なぞ》は、ほかにもあった。モアイをはこぶ方法《ほうほう》である。

おおくのモアイ像《ぞう》は20トン――アフリカゾウ5頭分《とうぶん》くらいの重《おも》さがある。

そんな石像《せきぞう》をどうやって何《なん》キロもはなれた祭壇《さいだん》まではこんだのか、考古学者《こうこがくしゃ》たちはさまざまな説《せつ》を唱《とな》えているが、未《いま》だあきらかな方法《ほうほう》はわかっておらず、**謎《なぞ》のまま**なのだ。

「モアイ像《ぞう》は、**自分《じぶん》で歩《ある》いて移動《いどう》した**っていう島《しま》のいいつたえもあるらしいね」

「はは、まあ、そんな島《しま》だから、モアイ像《ぞう》が歩《ある》くといううわさも、案外《あんがい》、ガセじゃないかもしれないぞ?」

ふたりは、海岸《かいがん》ぞいの大きなとおりを西《にし》にむかってドライブをつづけた。

イースター島《とう》には現在《げんざい》、887体《たい》ものモアイ像《ぞう》がのこされている。そのおおくは、発見当時《はっけんとうじ》たおれていたが、いく体《たい》かは、20世紀《せいき》よりあとの考古学者《こうこがくしゃ》や地元《じもと》の人によって修復《しゅうふく》され、クレーン車をつかって、たてなおされた。

300体《たい》あまりのモアイ像《ぞう》は、未完《みかん》のまま放置《ほうち》されている。

18世紀《せいき》ごろ、イースター島《とう》で「**モアイたおし戦争《せんそう》**」とよばれるクーデターがおきた。労働階級《ろうどうかいきゅう》の短耳族《たんじぞく》が、支配階級《しはいかいきゅう》の長耳族《ちょうじぞく》を滅《ほろ》ぼして、彼《かれ》らが信仰《しんこう》していたモアイ像《ぞう》をことごとくたおしてしまったのだ。

モアイの目には、「**マナ**」——霊力《れいりょく》が宿《やど》るとされていた。短耳族《たんじぞく》はモアイの目をおそれ、「モアイたおし戦争《せんそう》」の際《さい》、目をまっ先に破壊《はかい》した。

現在《げんざい》、島《しま》に立つモアイ像《ぞう》には、目がない。

モアイの表情《ひょうじょう》が、みな、どこか虚《うつ》ろに見えるのは、そのせいだろうか。

モアイ・コテリク▶

ドライブ中に豪《ごう》は、ある場所《ばしょ》で車をとめた。

そこには、赤い帽子《ぼうし》のようなものを頭《あたま》にのせたモアイ像《ぞう》が立っていた。

「**モアイ・コテリク**。イースター島《とう》でゆいいつ、目があるモアイ像《ぞう》さ。目があるといっても、このモアイの目はレプリカで、本物《ほんもの》は博物館《はくぶつかん》に保管《ほかん》されているんだけどな。

……なぜだと思《おも》う？」

未知人《みちと》は、いたずらっぽくほほ笑《え》む父《ちち》・豪《ごう》の顔《かお》を見かえす。

「本物《ほんもの》の目をつけると、モアイにマナが宿《やど》って歩《ある》きだしてしまうから……とでも、父《とう》さんはいいたいワケ？」

「まあ、すくなくとも、この島《しま》の人びとは、そう考《かんが》えているのかもしれない。彼《かれ》らにとってモアイの目は、とくべつなものだからね」

豪《ごう》は、そうこたえ、意味深《いみしん》な笑《え》みをうかべた。

◀オロンゴの岸壁《がんぺき》

ふたりは、つぎなる目的地《もくてきち》にたどりつく。島《しま》の西側《にしがわ》にある**オロンゴの岸壁《がんぺき》**——。

きりたった崖《がけ》の下には紺碧《こんぺき》の海《うみ》がひろがり、沖《おき》には3つの小さな島《しま》が見える。

「ここは、オカルトマニアが食《く》いつきそうな、エモい場所《ばしょ》なんだ」

「エモい？」

「いや、血《ち》なまぐさい場所《ばしょ》というべきかな？　撮《と》れ高《だか》がイマイチだったときにそなえて、いちおう、ここもおさえておきたい」

近《ちか》ごろではすっかり「オーチューバー脳《のう》」になってしまった豪《ごう》が、未知人《みちと》にいう。

未知人《みちと》はあきれながらも、父《ちち》の気持《きも》ちをくみ、あたりの撮影《さつえい》をはじめた。

モアイ信仰《しんこう》がすたれたあと、短耳族《たんじぞく》は、モアイにかわって、**創造神《そうぞうしん》マケマケ**の化身《けしん》——「**鳥人《ちょうじん》**」を信仰《しんこう》するようになり、ここ、オロンゴの岸壁《がんぺき》では年に一度《いちど》、「**鳥人儀礼《ちょうじんぎれい》**」という儀式《ぎしき》がおこなわれていたという。

それは、沖《おき》の小島《こじま》からグンカンドリの卵《たまご》をとってもどってくるという、競争《きょうそう》のような儀式《ぎしき》だ。

そのころ、島《しま》にはいくつかの氏族《しぞく》があり、氏族《しぞく》のリーダーは代表者《だいひょうしゃ》をえらんで、この競争《きょうそう》に参加《さんか》させた。いち早く、グンカンドリの卵《たまご》をもち帰《かえ》った者《もの》の氏族《しぞく》のリーダーが、1年間《ねんかん》、イースター島《とう》の王《おう》となるきまりだったのだ。

小島《こじま》のまわりにはサメもおおく、命《いのち》を落《お》とす参加者《さんかしゃ》もおおかったらしい。

当時《とうじ》のイースター島《とう》には「食人文化《しょくじんぶんか》」もあり、負《ま》けた者《もの》のうち何人《なんにん》かは、**いけにえとして、勝者《しょうしゃ》の氏族《しぞく》のリーダーに食《た》べられていた**ともいわれている。

「儀式《ぎしき》は、1866年ごろまでつづけられていたようだ。そのころ、日本《にほん》は江戸時代《えどじだい》の末期《まっき》、坂本龍馬《さかもとりょうま》がかつやくしていたころだな」

「……で、彼《かれ》らが信仰《しんこう》していた『鳥人《ちょうじん》』というのが、これ?」

未知人《みちと》はそういって、崖《がけ》のふちにある岩《いわ》を指《ゆび》さす。

そこには、なんとも形容《けいよう》しがたい、不思議《ふしぎ》な生《い》き物《もの》がほられていた。

「本の写真《しゃしん》でも見たけど、神《かみ》っていうより、モンスターだよね」

「はは、まあな。ぶきみなすがたをした鳥人《ちょうじん》や、謎《なぞ》めいたモアイ像《ぞう》が信《しん》仰《こう》されていたことから、イースター島《とう》の文化《ぶんか》はオカルト的《てき》な解釈《かいしゃく》をされることがおおいんだ」

「……オカルト的《てき》な解釈《かいしゃく》？」

「たとえば短耳族《たんじぞく》が人類《じんるい》で、モアイをつくった長耳族《ちょうじぞく》は、宇宙《うちゅう》からやってきた種族《しゅぞく》だとか。神《かみ》とされた鳥人《ちょうじん》もまた地球外生命体《ちきゅうがいせいめいたい》であった、とかね」

父《ちち》の学者《がくしゃ》らしからぬ解説《かいせつ》をきいていた未知人《みちと》は、そのとき、ハッと顔《かお》を凍《こお》りつかせた。

「ん？　どうした、未知人《みちと》？」

「父《とう》さん、今《いま》の音、きいた？」

「……音？」

「この音……あのときの……」

母《はは》が失踪《しっそう》したときに耳にした、あの、ヴーンという振動音《しんどうおん》が、ほんの一瞬《いっしゅん》だが、かすかにきこえたような気がしたのだ。

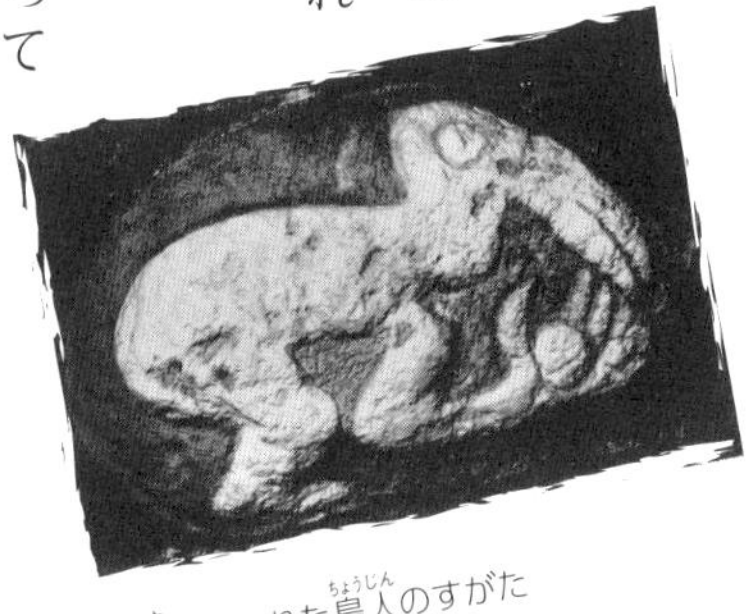
▲岩《いわ》にほられた鳥人《ちょうじん》のすがた

しかし、その音は、父《ちち》にはきこえなかったようだ。

7年前《まえ》のあの日、未知人《みちと》の体《からだ》には、もうひとつの異変《いへん》がおきた。

耳が異常《いじょう》にするどくなり、常人《じょうじん》にはききとれない音も、ききとれるようになったのである。

（たしかに、あのときの音だった。この島《しま》には、母《かあ》さんの行方《ゆくえ》をさがす手がかりがあるのかもしれない……）

あわい期待《きたい》が、未知人《みちと》の心《こころ》にもたげてきた。


「さ…てと、名物《めいぶつ》のマグロパイも食《く》ったことだし、そろそろ仕事《しごと》にもどるか」

父《ちち》・豪《ごう》が、そういって、テーブルからはなれる。

ふたりが今《いま》いる場所《ばしょ》は、6000人ほどいる島民《とうみん》のほとんどがくらす、イースター島《とう》の中心地《ちゅうしんち》——**ハンガロア村**だ。

「村」とあるが、ちょっとした町といったほうがふさわしい場所《ばしょ》である。

大どおりには車がいき交《か》い、ホテルやレストランが軒《のき》をつらねていた。

そのレストランの一軒《いっけん》で昼食《ちゅうしょく》をすませた豪《ごう》と未知人《みちと》は、博物館前《はくぶつかんまえ》の広場《ひろば》へとむかう。

そこで「歩《ある》くモアイ像《ぞう》」を目撃《もくげき》した観光客《かんこうきゃく》と落《お》ちあい、インタビュー映像《えいぞう》を撮《と》る予定《よてい》だったのだ。

「あれは、3日くらい前《まえ》の晩《ばん》だったかなぁ。飲《の》んでホテルに帰《かえ》るとちゅうの道《みち》に、そいつはあらわれた。いやあ、おどろいたのなんの、石づくりのモアイが、まるで生きているかのように、ひとりで道《みち》を歩《ある》いていたんだからね~。さいしょは、飲《の》みすぎたのかと思《おも》ったけど、のっていたタクシーの運転手《うんてんしゅ》も大さわぎしだして、目の前《まえ》でおこってることが現実《げんじつ》なんだって気づいたよ。いやあ、いっぺんに酔《よ》いがさめたね~」

ビデオをまわす未知人《みちと》の前《まえ》で、父《ちち》・豪《ごう》のインタビューにこたえているのは、ジェイクという名のふとったアメリカ人だ。

イースター島《とう》は今回《こんかい》で9回目《かいめ》という、リピーターらしい。

インタビューをつづけていると、豪《ごう》のまわりには人だかりができた。

「ワオ、ゴウだ！」

「ミステリーガイドだ！」

父《ちち》・豪《ごう》が配信《はいしん》する「セカイの千怪奇《せんかいき》ちゃんねる」の登録者数《とうろくしゃすう》は７００万人《まんにん》。

動画《どうが》は日本語《にほんご》だが、豪《ごう》が自分《じぶん》でふきかえをした英語版《えいごばん》もつくられている。

大学教授《だいがくきょうじゅ》だったころから、ダジャレや派手《はで》なファッションがすきで、目立つことが大《だい》すきだった豪《ごう》。あんがい、こっちのほうが天職《てんしょく》ではないかと未知人《みちと》も思《おも》うくらい、オーチューバーっぷりが板《いた》についている。

そんな豪《ごう》だから、ファンは世界中《せかいじゅう》にいた。

「歩《ある》くモアイ像《ぞう》なら、オレも見た！　モアイには目があった！　ただの石像《せきぞう》じゃない、マナが宿《やど》ってるんだ！」

べつの観光客《かんこうきゃく》が、そういって身《み》をのりだしてくる。

話《はな》している英語《えいご》の訛《なま》りから、未知人《みちと》は、オーストラリア人だろうと判断《はんだん》した。

「くわしくきかせてくれるかい？」

豪《ごう》が、新《あら》たな目撃者《もくげきしゃ》にマイクをむける。

――そのときだった。

一方《いっぽう》から、耳なれない言語《げんご》がきこえてきた。

声《こえ》の主《ぬし》は、島民《とうみん》らしき白髪《しらが》の老婆《ろうば》だ。なにやらけわしい顔《かお》をしている。

話《はな》しているのは、島《しま》のことば――ラパ・ヌイ語《ご》のようだが、なにをいっているのか、未知人《みちと》にはわからなかった。

「**歩《ある》くモアイ像《ぞう》を見てはいけない。見た者《もの》は祟《たた》りにあって死《し》ぬ**って、おばあちゃんはいっているのさ」

ラパ・ヌイ語《ご》をわかるらしいジェイクが、老婆《ろうば》の話《はなし》を通訳《つうやく》する。

「はは、ただの迷信《めいしん》さ。げんに歩《ある》くモアイを見たオレが、こうして生きてるんだから」

そうつけくわえたジェイクは、陽気《ようき》にわらっていたが、その目はわらっていなかった。

豪《ごう》は、ジェイクを通訳《つうやく》にやとい、まわりにいる島民《とうみん》たちにも、ききこみをはじめた。

島民《とうみん》たちは、みな一様《いちよう》に、おびえきったようすだった。

「モアイ像《ぞう》が歩《ある》くのは、モアイ信仰《しんこう》をすてた、われわれへの怒《いか》りだ」

「いや、天変地異《てんぺんちい》の予兆《よちょう》だ。島《しま》の守《まも》り神《がみ》であるモアイは、近《ちか》く津波《つなみ》がくることを知《し》らせようとしているんだ」

などと、ささやきを交《か》わしあっている。

目撃者《もくげきしゃ》たちの話《はなし》をまとめると、モアイ像《ぞう》が歩《ある》きだすのは、だいたい夜《よる》の9時《じ》ごろ。ハンガロア村から、島《しま》の北西《ほくせい》10キロくらいまでの海岸沿《かいがんぞ》いに集中的《しゅうちゅうてき》にあらわれることもわかった。

島民《とうみん》たちは、祟《たた》りをおそれて、今《いま》は夜《よる》の外出《がいしゅつ》はしないらしい。


そのとき、広場《ひろば》のべつの一角《いっかく》から、人びとのさわぐ声《こえ》がきこえてきた。

見ると、そこにも人だかりができている。豪《ごう》のまわりに群《むら》がっていた人びとは「なにごとか？」と興味《きょうみ》をいだき、人だかりのほうへと走《はし》っていった。

未知人《みちと》と豪《ごう》も、あとにつづく。

人だかりの中央《ちゅうおう》には、頭《あたま》に3本のロープがむすびつけられたモアイ像《ぞう》が立っていた。

それぞれのロープの先を、10人ずつぐらいの人びとがもっている。

「これは、モアイ像《ぞう》のレプリカよ！　モアイ像《ぞう》は、かんたんな方法《ほうほう》で歩《ある》かせることがで

きるの！　今《いま》からそれを立証《りっしょう》してみせるわ！」

モアイ像《ぞう》の前《まえ》で声《こえ》をはりあげているのは、ヒラヒラのゴスロリドレスをきた少女《しょうじょ》だ。

たてロールの金髪《きんぱつ》で、人形《にんぎょう》のような顔《かお》だちをしている。

かたわらでは、燕尾服姿《えんびふくすがた》の執事《しつじ》のような男性《だんせい》が、ビデオカメラで少女《しょうじょ》のすがたを撮影《さつえい》していた。

未知人《みちと》は、少女《しょうじょ》の顔《かお》に見おぼえがあった。

アンナ・フィッツジェラルド。

未知人《みちと》とおなじ12歳《さい》で、母親《ははおや》は日本人《にほんじん》、父親《ちちおや》はイギリス人。

子どもオーチューバーであるアンナは、大富豪《だいふごう》の両親《りょうしん》の財力《ざいりょく》にあかして、執事《しつじ》のアーサーとともに世界中《せかいじゅう》をとびまわり、不可思議《ふかしぎ》な事件《じけん》の謎《なぞ》をときあかしている。

早《はや》い話《はなし》が「ミステリーガイド・ゴウ」のライバルのような存在《そんざい》だった。

しかしアンナは、超常現象《ちょうじょうげんしょう》をネタにしているにもかかわらず、てっていしたオカルト否定派《ひていは》の立場《たちば》をとっている。

その**科学絶対主義**《かがくぜったいしゅぎ》的《てき》強引《ごういん》な謎《なぞ》ときは、オカルトファンの怒《いか》りを買《か》い、しばしば炎上《えんじょう》の

的《まと》ともなっていたのだ。
「みんな、いい？　それじゃ、いくわよ！」
アンナが合図《あいず》をおくると、左右のロープをもった人びとが、交互《こうご》につなひきのように
ロープをひっぱりはじめた。
そのあいだ、後方《こうほう》の人びとは、モアイ像《ぞう》がたおれないようにロープをひっぱってささ
えている。
モアイ像《ぞう》は、左右にゆれながら、前《まえ》にむかって歩《ある》きだした。
「おおっ！」
「見ろ、モアイ像《ぞう》が歩《ある》いてるぞ！」
群衆《ぐんしゅう》がどよめく。アンナは、これ以上《いじょう》ないくらいのドヤ顔《がお》になった。
「これでわかったでしょう？　モアイ像《ぞう》が自《みずか》ら歩《ある》いて移動《いどう》したという島《しま》のいいつたえ
は、つまり、こういうことだったのよ。今《いま》、この島《しま》でうわさになっている歩《ある》くモアイ像《ぞう》も、
きっとだれかがおなじ方法《ほうほう》で歩《ある》かせているにちがいないわ！」
このようすを見ていた未知人《みちと》は、思《おも》わずふきだしてしまった。

「強引《ごういん》な謎《なぞ》ときで炎上《えんじょう》しまくっているといううわさは、ほんとうだったんだな」

するとアンナは、キッとなって未知人《みちと》をにらむ。

「ちょっと、そこのアナタ！　強引《ごういん》な謎《なぞ》ときって、どういうこと⁉　なにか、わたしにいいたいことがあるなら、コソコソしていないで、どうどうといいなさいよ！」

アンナは、流暢《りゅうちょう》な日本語《にほんご》でまくしたてながら、未知人《みちと》につめよってきた。

未知人《みちと》は、おだやかな口調《くちょう》でアンナをさとす。

「きみがデモンストレーションした方法《ほうほう》は、昔《むかし》の人がモアイ像《ぞう》をはこんだ方法《ほうほう》としてはかんがえられるかもしれない。だけど、うわさの答《こた》えには、なっていないんじゃないか？　歩《ある》くモアイ像《ぞう》を目撃《もくげき》した人は、『**ひとりで道《みち》を歩《ある》いていた**』といっている。ロープでひっぱられて歩《ある》かされていたのなら、そういういいかたにはならないだろ？」

「くらかったから、ロープをひく人たちのすがたが見えなかっただけよ！」

くるしい言《い》いわけをしたあと、アンナは未知人《みちと》にこういいかえしてきた。

「だったら、アナタはどうなの⁉　人のいうことにケチばかりつけているけど、歩《ある》くモアイ像《ぞう》にたいして、なにかなっとくのいく説明《せつめい》はできるの⁉」

「可能性《かのうせい》は無限《むげん》にある。きみのいうように、このさわぎが、人の手によっておこされているというのも、そのひとつだ。ただ……」

未知人《みちと》は、一瞬《いっしゅん》、ためらってからつづけた。

「イースター島《とう》の文化《ぶんか》には、宇宙《うちゅう》からの来訪者《らいほうしゃ》が、かかわっているという説《せつ》もあるらしい。たとえば反重力装置とか、現代《げんだい》の科学《かがく》がおよばない、特殊《とくしゅ》な技術《ぎじゅつ》がつかわれている可能性《かのうせい》だって、ゼロとはいいきれないんじゃないか？」

父《ちち》のいった「オカルト的解釈《てきかいしゃく》」の話《はなし》に、知《し》らず知《し》らずに毒《どく》されていたのかもしれない。自分《じぶん》でも思《おも》ってもみなかったことばを口にしたあと、未知人《みちと》はすぐに後悔《こうかい》した。

案《あん》の定《じょう》、アンナは、片眉《かたまゆ》をつりあげ、軽蔑《けいべつ》の色《いろ》をあらわにする。

「なにそれ⁉　SF《エスエフ》⁉　……話《はなし》にならないわね」

「オレはただ、可能性《かのうせい》の話《はなし》をしているだけだ。なにが正しくて、なにがまちがっているかは、自分《じぶん》の目で見て、たしかめてみなければ、わからないだろ？」

すると、アンナはうでぐみしながら、「それもそうね」とうなずく。

「だったら歩《ある》くモアイ像《ぞう》の正体《しょうたい》、わたしがこの目でしっかり見とどけてやるわ。わたしのかんがえが正しいってことを証明《しょうめい》するためにもね！」

アンナとわかれた未知人《みちと》は、父《ちち》・豪《ごう》とともに宿泊先《しゅくはくさき》のホテルにもどった。

モアイ像《ぞう》が歩《ある》きだすという午後《ごご》9時《じ》が近《ちか》づくにつれ、未知人《みちと》は落《お》ちつかない気持《きも》ちになる。ところが――。

「今日《きょう》は、もういいだろ。長旅《ながたび》のあとのドライブにインタビュー、けっこうハードだったしな。調査《ちょうさ》は明日《あす》にしよう」

豪《ごう》は、そういってホテルの部屋《へや》のベッドに横《よこ》になると、寝息《ねいき》をたてはじめた。

未知人《みちと》は、無言《むごん》で壁《かべ》にかかった時計《とけい》を見あげる。

――時刻《じこく》は午後《ごご》8時《じ》。

歩《ある》くモアイ像《ぞう》の正体《しょうたい》を見とどけるといっていたアンナの顔《かお》がうかんだ。

（アイツに先をこされるのはシャクだな……）

未知人《みちと》は、父《ちち》に書《か》きおきをのこして外《そと》にでた。

ホテルの敷地《しきち》をでると、人気《ひとけ》はまったくない。

街灯《がいとう》もなく、あるのは月と星《ほし》のあかりだけ。

未知人《みちと》は、手にしたライトで足元《あしもと》をてらしながら、くらがりのなかを歩《ある》きだした。

すると、一方《いっぽう》から、もうひとつのライトが近《ちか》づいてきた。

（……だれだろう？　おなじホテルにとまっている客《きゃく》かな？）

近《ちか》づいてよく見ると、その顔《かお》はアンナだった。

「なんだ、きみか」

「へえ、アナタだったの。……ひとり？　ミステリーガイドはいっしょじゃないの？」

そう問《と》いかけてきたところを見ると、どうやらアンナも、こちらのことを知《し》っているようだ。

「そういうきみは？　おともの執事《しつじ》はつれていないのかい？」

「アーサーは、つかれたといって部屋《へや》でねているわ。わたしひとりで歩《ある》くモアイ像《ぞう》の正体《しょうたい》をつきとめにいくところよ。もしかしてアナタも？　どうしてもというなら、つきあってあげてもよくってよ」

「こわかったらこわいって、すなおにいえばいいじゃないか」

「なにいってんの！　こわくなんかないわ！　かんちがいしないで！」

アンナはそういうと、未知人《みちと》に背中《せなか》をむけ、スタスタと歩《ある》きだした。

未知人《みちと》は、やれやれと肩《かた》をすくめながらも、アンナを追《お》いかけ、「まてよ」とよびとめる。

純粋《じゅんすい》に、アンナをほうっておけないと思《おも》ったのだ。

「わかった。いっしょにいこう」

ふたりは、海岸《かいがん》ぞいの道《みち》を北西《ほくせい》にむかって歩《ある》きはじめた。

しばらくして、アンナは「はあ……」とためいきをつきながら、道《みち》ばたにすわりこんだ。

「おいおい、もうバテたのか？」

「ただちょっとやすんでるだけよ。このカメラ、重《おも》くって……」

アンナは、手にしたハンディカメラを指《さ》ししめす。

いつもは執事《しつじ》のアーサーにもたせているカメラを、今《いま》は自分《じぶん》でもっているのだ。

「そんな小型《こがた》のハンディ、たいして重《おも》くはないだろ」

未知人《みちと》があきれながらつぶやいたそのとき、道《みち》のむこうから、耳なれない、かすかな音がきこえてきた。

それは、あえていうなら、戦車《せんしゃ》のキャタピラのような音だった。

「え……なに？　どうしたの？」

音のするほうに走《はし》りだした未知人《みちと》を、アンナもあわてて立ちあがり、追《お》いかける。

「見ろ」

未知人《みちと》は、道《みち》のむこうを指《ゆび》さした。

そこには、月あかりにてらされて、なにか、大きな影《かげ》がうかびあがっている。

――モアイ像《ぞう》だった。

赤い帽子《ぼうし》のようなものを頭《あたま》にのせ、赤い目を光《ひか》らせた、モアイ・コテリクによく似《に》た石像《せきぞう》が道《みち》を歩《ある》いている。

周囲《しゅうい》に、ロープをひっぱっているような人影《ひとかげ》はまったくなかった。

「そんなバカな……モアイ像《ぞう》がひとりでにうごくなんて……」

アンナは、恐怖《きょうふ》に顔《かお》をひきつらせた。

しかし、ふるえながらも、手にしたカメラをかまえ、モアイ像《ぞう》を動画《どうが》に撮《と》りはじめる。

未知人《みちと》もスマホをとりだし、撮影《さつえい》をはじめた。
モアイ像《ぞう》が近《ちか》づくにつれ、キャタピラ音も大きくなる。
と、未知人《みちと》は、その上空《じょうくう》にある光《ひかり》に気づいた。
しばらく見あげていると、モアイ像《ぞう》のあとを追《お》うように、光《ひかり》もこちらに近《ちか》づいてきた。

ヴーン、ヴーン

あの、なにかがはげしく振動《しんどう》するような音もきこえてくる。
モアイ像《ぞう》と光《ひかり》は、グングン大きくなった。
母《はは》が失踪《しっそう》した日の、あの悪夢《あくむ》のような記憶《きおく》が、未知人《みちと》のなかによみがえる。
思《おも》わずポケットに手をやり、マコがくれたビー玉をギュッとにぎりしめた。
ふと横《よこ》を見ると、アンナはビデオを手にしたまま気絶《きぜつ》していた。

「アンナ、だいじょうぶか!?　しっかりしろ！」

よびかけたが、へんじはない。
未知人《みちと》は、アンナをかばうように、かかえあげた。
そのとき、モアイ像《ぞう》が、眼前《がんぜん》にせまった。

（……やはり、そうか）

モアイの足元《あしもと》にキャタピラがついているのを確認《かくにん》し、未知人《みちと》は、これが人間《にんげん》のつくった人工物《じんこうぶつ》であることを確信《かくしん》する。

（だけど、あの光《ひかり》は……）

頭上《ずじょう》を見あげる未知人《みちと》。

光《ひかり》は、未知人《みちと》の視界《しかい》いっぱいにひろがり、あたりは目をあけていられないほどのあかるさになっていた。よく見ると、光《ひかり》は無数《むすう》の光《ひかり》のあつまりで、それぞれがはげしく点滅《てんめつ》をくりかえしている。

ヴーン、ヴーン

なにかがはげしく振動《しんどう》するような音は、耳をつんざくほどの大音響《だいおんきょう》となり……。

——記憶《きおく》にあるのは、そこまでだった。

遠《とお》のいていく意識《いしき》のなかで、未知人《みちと》は、モアイ像《ぞう》が光《ひかり》のなかにすいこまれていくのを見たような気がした——。

目をさましたとき、ふたりは病院《びょういん》にいた。とおりかかった観光客《かんこうきゃく》が、たおれている未《み》知《ち》人《と》とアンナを発見《はっけん》し、搬送《はんそう》してくれたのだ。

ふたりにケガはなく、体《からだ》のどこにも異常《いじょう》はなかったため、連絡《れんらく》をうけてむかえにきた豪《ごう》とアーサーに、それぞれひきとられた。

ホテルに帰《かえ》って、未《み》知《ち》人《と》がまっ先にしたことは、スマホの動画《どうが》のチェックだ。再生《さいせい》すると、そこには、遠距離《えんきょり》からの歩《ある》くモアイ像《ぞう》と光《ひかり》がうつっていたが、とちゅうからノイズにかき消《け》され、至近距離《しきんきょり》での映像《えいぞう》は、なにもうつっていなかった。

「……くそっ!!」

未《み》知《ち》人《と》は、拳《こぶし》をワナワナとふるわせる。

「あの光《ひかり》……あの音……母《かあ》さんのときとおなじだった!　もうすこしで手がかりをつかめるかと思《おも》ったのに……!」

「……わかった。わかったから、未《み》知《ち》人《と》、おちつけって」

父《ちち》・豪《ごう》は、そういってなだめたが、未《み》知《ち》人《と》の興奮《こうふん》はさめやらない。

「父《とう》さんだって、わかるだろ！　7年前《まえ》のあの日から、オレたちは……」

未知人《みちと》のむねに、幼《おさな》いころの記憶《きおく》がよみがえる。

母《はは》のとつぜんの失踪《しっそう》――悲《かな》しみのどん底《ぞこ》にあった未知人《みちと》。

母《はは》が行方不明《ゆくえふめい》になったときの話《はなし》をだれにも信《しん》じてもらえず、しだいに口数《くちかず》がすくなくなり、まわりに心《こころ》をとざすようになっていった。

一夜《いちや》にして髪《かみ》の色《いろ》が銀髪《ぎんぱつ》に変《か》わった未知人《みちと》を、子どもたちはきみわるがり、はげしいイジメにもあった。

そして耳が異常《いじょう》にするどくなった未知人《みちと》には、ときおり、こんなささやきもきこえてきたのだ。

「あの子のお母《かあ》さん、殺《ころ》されて、どこかにうめられてるんじゃない？」

「犯人《はんにん》は父親《ちちおや》かしら……？」

母《はは》の失踪《しっそう》を、そんなふうにうわさする近所《きんじょ》の住人《じゅうにん》もいた。

海外《かいがい》にいてアリバイがあった父《ちち》・豪《ごう》は、警察《けいさつ》にまでうたがわれることはなかったが、住人《じゅうにん》たちのなかには、未《いま》だに豪《ごう》を白い目で見る者《もの》もいる。

「未知人《みちと》、おまえの気持《きも》ちはわかる」

おなじくるしみをわかちあった父《ちち》は、未知人《みちと》の気持《きも》ちを察《さっ》した。

「もちろん、調査《ちょうさ》もつづける。だがな……」

父《ちち》は、そういったあと、未知人《みちと》の顔《かお》をのぞきこみ、いつになく真剣《しんけん》な顔《かお》でいった。

「ひとりでかってにうごくな。オレたちはチームだろ？」

「……わかったよ」

父《ちち》の目を見かえし、未知人《みちと》はうなずいた。

翌日《よくじつ》から、ふたりは調査《ちょうさ》を続行《ぞっこう》した。

しかし、成果《せいか》はなにも得《え》られなかった。

歩《ある》くモアイ像《ぞう》も、あの光《ひかり》も、以来《いらい》、ぱったりとあらわれなくなってしまったのである。

けっきょく、謎《なぞ》は謎《なぞ》のまま、調査《ちょうさ》はうちきられる。

未知人《みちと》は、父《ちち》・豪《ごう》とともに、帰国《きこく》の途《と》につくことになった。

「あの歩《ある》くモアイ像《ぞう》は、映画《えいが》の宣伝《せんでん》かなにかのために、だれかがしかけたんじゃない？」

帰《かえ》りの飛行機《ひこうき》のなかで、未知人《みちと》は、アンナが帰国前《きこくまえ》にいったことばを思《おも》いだしていた。

「バカな……だったら、あの光《ひかり》はどう説明《せつめい》する？　きみだって見たんだろ？」

未知人《みちと》が反論《はんろん》すると、アンナはこういった。

「あれは……ドローンかなにかよ」

アンナは、自分《じぶん》の理解《りかい》をこえた真実《しんじつ》を真実《しんじつ》とはみとめようとしなかったのだ。

（あいつは気絶《きぜつ》して、近《ちか》くで見なかったから知《し》らないだろうけど、あれはぜったいにドローンなんかじゃない！　あれは……）

未知人《みちと》は心《こころ》のなかでつぶやく。

（母《かあ》さんをさらったあの光《ひかり》は、たしかに実在《じつざい》するんだ！）

いつかきっと、この手で母《はは》の失踪《しっそう》の謎《なぞ》をときあかしてやる、未知人《みちと》はしずかに決意《けつい》したのだった。

2 幽《ゆう》霊《れい》屋《や》敷《しき》レイナムホール

イギリス

1936年9月19日、**イギリス、ノーフォーク州《しゅう》**――。

この地《ち》に立つレイナムホールは、タウンゼンド子爵《ししゃく》の由緒《ゆいしょ》ある屋敷《やしき》だ。

レイナムホールを雑誌《ざっし》の撮影《さつえい》のためにおとずれていたカメラマンのヒューバート・C《シー》・プロヴァンドは、恐怖《きょうふ》におののく助手《じょしゅ》のさけび声《ごえ》を耳にした。

「なんだ、あれは!?」

ふりむくと、階段《かいだん》の上に「なにか」が見える。

プロヴァンドは、あわててカメラをかまえ、シャッターをきる。

帰《かえ》ってからネガを見ると、茶色《ちゃいろ》のドレスをきた女性《じょせい》のすがたが、はっきりとうつっていた。

この写真《しゃしん》は雑誌《ざっし》にのって大反響《だいはんきょう》をよんだ。

幽霊《ゆうれい》らしき女性《じょせい》は「**Brown《ブラウン》 Lady《レディ》**」（茶色《ちゃいろ》のドレスの貴婦人《きふじん》）と名づけられ、のちにこの写真《しゃしん》は「世界一有名《せかいいちゆうめい》な幽霊写真《ゆうれいしゃしん》」とよばれるようになった。

じつはこのレイナムホールという古《ふる》い屋敷《やしき》では、それより100年も前《まえ》か

▲1936年12月26日発売《はつばい》のカントリーライフ誌《し》にのった「世界一有名《せかいいちゆうめい》な幽霊写真《ゆうれいしゃしん》」

ら、幽霊《ゆうれい》の目撃談《もくげきだん》がささやかれていた。

いずれも女性《じょせい》の霊《れい》を見たというもので、その正体《しょうたい》まで判明《はんめい》している。

女性《じょせい》の名は、**ドロシー・ウォルポール**。

彼女《かのじょ》は、貴族《きぞく》チャールズ・タウンゼンドの2番目《ばんめ》の妻《つま》だ。

夫《おっと》は怒《おこ》ると狂暴《きょうぼう》になることで有名《ゆうめい》だった。結婚前《けっこんまえ》、ドロシーに恋人《こいびと》がいたことを知《し》り、激怒《げきど》して暴力《ぼうりょく》をふるうようになった。

そして、ドロシーをレイナムホールの一室《いっしつ》に、死《し》ぬまでとじこめたという。

恨《うら》みをかかえた彼女《かのじょ》の魂《たましい》は、今《いま》もこの古《ふる》い屋敷《やしき》をさまよっているのだろうか。


信号《しんごう》まちをしていた未知人《みちと》は、街角《まちかど》で売《う》られている新聞《しんぶん》のラックに目をやる。

どの新聞《しんぶん》も、一面《いちめん》で報《ほう》じているのは、半年前《はんとしまえ》からこの地《ち》をさわがせている連続殺人《れんぞくさつじん》だ。

たいして興味《きょうみ》のある話題《わだい》でもなかったので、未知人《みちと》はすぐに顔《かお》をそむける。

そのとき、大どおりをいく、おどろおどろしい文字が書《か》かれた観光《かんこう》バスが目に入った。

「あれがうわさのゴーストツアーのバス？」

未知人《みちと》がたずねると、かたわらにいた父《ちち》・豪《ごう》は、わらいながらこたえる。

「この国《くに》じゃ、めずらしくない光景《こうけい》さ。なんたって、心霊大国《しんれいたいこく》だからな」

19世紀《せいき》のイギリスでは、死者《ししゃ》の霊《れい》をよびよせる降霊術《こうれいじゅつ》の会《かい》は社交場《しゃこうば》のひとつで、紳士《しんし》淑女《しゅくじょ》のたしなみともなっていたという。

「幽霊《ゆうれい》のあらわれる物件《ぶっけん》は、この国《くに》じゃ高値《たかね》がつく」

「へえ。日本《にほん》とは真逆《まぎゃく》だね」

そんなことをいいあいながら、豪《ごう》と未知人《みちと》はキングス・クロス駅《えき》へいそぐ。

ふたりが今《いま》いる場所《ばしょ》は、ロンドン。

成田《なりた》から**12時間半《じかんはん》**のフライトを経《へ》て、昨日《きのう》の夜《よる》、ロンドンのヒースロー空港《くうこう》にたどりついた。その日は空港《くうこう》のホテルに1泊《ぱく》し、今日《きょう》、**ノーフォーク州《しゅう》**へむかおうとしていた。

レトロな電車《でんしゃ》にゆられること3時間半《じかんはん》。豪《ごう》と未知人《みちと》は、目的地《もくてきち》にたどりつく。

「なんか、ふりだしそうな空もようだな……」

◀交霊会《こうれいかい》のようす
（1872年イングランド）

ノーフォーク州《しゅう》の入り口にある看板《かんばん》▶

電車《でんしゃ》をおりるなり、未知人《みちと》は空を見あげながらつぶやいた。

うつくしい海岸《かいがん》と湿地帯《しっちたい》で知《し》られるノーフォーク州《しゅう》は、のどかな田園地《でんえんち》帯《たい》だ。

しかし、この日は、あいにくのくもり空。

町のシンボルとなっている大聖堂《だいせいどう》もどこか陰気《いんき》なたたずまいを見せ、評判《ひょうばん》の海《うみ》も灰色《はいいろ》がかった、くすんだ色《いろ》をしていた。

「予報《よほう》では、夕方《ゆうがた》あたりから、ザッとくるらしい。ふりだす前《まえ》にレイナムホールの庭《にわ》を撮《と》っておきたいから、とりあえずいそごう」

豪《ごう》は、そういうと、スーツケースをころがしながら歩《ある》きだした。

ホテルにチェックインし、荷物《にもつ》をおいたあと、ふたりがレンタカーでむかったのは、ノーフォーク州《しゅう》の中心都市《ちゅうしんとし》、**ノリッジ**の住宅街《じゅうたくがい》にある一軒《いっけん》の家《いえ》だ。

外観《がいかん》はレトロなレンガづくりで、リビングには暖炉《だんろ》がある。

イギリスには、古《ふる》い家《いえ》がとにかくおおい。幽霊《ゆうれい》がひんぱんに出没《しゅつぼつ》する背景《はいけい》には、そのような事情《じじょう》も関係《かんけい》しているのかもしれない。

「これが、その写真《しゃしん》だよ。ゴーストツアーで母《はは》とレイナムホールにいって、あの階段《かいだん》を撮《と》ったときにうつったんだ」

栗色《くりいろ》の髪《かみ》とソバカスが愛《あい》らしいポール・エバンスが、未知人《みちと》たちに、スマホで撮《と》った写真《しゃしん》を見せる。

今回《こんかい》、豪《ごう》と未知人《みちと》がイギリスにきた目的《もくてき》は、レイナムホールで新《あら》たに撮《と》られた心霊写真《しんれいしゃしん》を調査《ちょうさ》するためだった。

その写真《しゃしん》を撮影《さつえい》したのが、今《いま》、目の前《まえ》にいる11歳《さい》のポール少年《しょうねん》だったのである。

ポールがさしだしてきた写真《しゃしん》は、横長《よこなが》の画面《がめん》で撮《と》られたものだった。

階段《かいだん》の下のほうに、黒《くろ》っぽいシミのような影《かげ》がうつっている。

影《かげ》には濃淡《のうたん》があり、よく見ると、そのなかに、**ななめ横《よこ》をむいた女の顔《かお》があった。**

レイナムホールの地縛霊《じばくれい》・ドロシーの顔《かお》なのだろうか。

女は、恨《うら》みの表情《ひょうじょう》をたたえているように見えた。

写真《しゃしん》にはゴーストツアーに参加《さんか》したほかの客《きゃく》たちもうつっていたが、幽霊《ゆうれい》らしき女の視線《しせん》は、そのなかのひとり――30代《だい》くらいの男にむけられていた。

ポールによると、写真《しゃしん》を撮《と》ったとき、この顔《かお》のような影《かげ》は見えなかったという。

撮《と》った写真《しゃしん》を確認《かくにん》して、なにかへんなものがうつっていると気づいたらしい。

「さいしょはそんなにこわいとは思《おも》わなかったんだ。友達《ともだち》にもじまんできるし、みんなの注目《ちゅうもく》をあつめて、有名人《ゆうめいじん》になれるかもしれないって」

ポールは、かるい気持《きも》ちで、その写真《しゃしん》をSNS《エスエヌエス》に公開《こうかい》したという。

すると、大衆紙《たいしゅうし》の記者《きしゃ》から連絡《れんらく》があり、新聞紙面《しんぶんしめん》に大きくとりあげられた。

テレビでも話題《わだい》になり、ポールは望《のぞ》みどおり、一躍《いちやく》、時《とき》の人となった。

しかし今《いま》、目の前《まえ》にいるソバカスの少年《しょうねん》に、とくいげなようすはみじんもない。

「さいきん、視線《しせん》を感《かん》じるんだ。ふりむくと、影《かげ》のようなものが見えたり……まるで幽《ゆう》霊《れい》に監視《かんし》されているみたいな……。ぼくは、ドロシーの霊《れい》にとり憑《つ》かれてしまったのかもしれない。……バチがあたったんだ。あの写真《しゃしん》をおもしろ半分《はんぶん》に、ネットにあげたりしたから……」

そう語《かた》るポールの顔《かお》は、げっそりとやつれている。

くちびるは、かわいて色《いろ》あせ、今《いま》にも泣《な》きだしそうなようすを見せていた。

これ以上《いじょう》、インタビューをつづけるのは酷《こく》だと思《おも》ったのか、「ありがとう。参考《さんこう》になったよ」と豪《ごう》は早々《そうそう》に取材《しゅざい》をきりあげ、未知人《みちと》とともにエバンス家《け》をあとにした。

ところが、豪《ごう》と未知人《みちと》が家《いえ》の前《まえ》にとめてあった車にのりこもうとしていると、

「まって！」

家《いえ》からとびだしてきたポールが、ふたりをよびとめた。

「あの……これから、レイナムホールへ撮影《さつえい》にいくんですよね？」

「うん。そうだよ」

「よかったら、ぼくもつれていってくれませんか？」

豪《ごう》と未知人《みちと》は、顔《かお》を見あわせる。

「ぼく……もう霊《れい》におびえてくらすのはイヤなんです。だから、もう一度《いちど》、レイナムホールにいってたしかめたい。四六時中《しろくじちゅう》、ぼくを監視《かんし》しているような、あの視線《しせん》の正体《しょうたい》は、いったいなんなのか？　ドロシーの幽霊《ゆうれい》は、ほんとうにいるのか、いないのか……」

そんなポールの目を、豪《ごう》はジッと見つめた。

「お母《かあ》さんには、いってきたかい？」

ポールは、コクリとうなずく。

「いっとくけど、オレは、たんなるオーチューバーで、エクソシストじゃないからな。キミをまもってやれるかどうかなんて、わからないぞ？」

ポールは、すこしまよったあと、決意《けつい》の表情《ひょうじょう》でふたたびうなずく。

「よし、わかった。いいよ。のって」

豪《ごう》は、ポールを、未知人《みちと》とともに車にのせると、そのまま走《はし》りだした。

「**世界最恐《せかいさいきょう》の幽霊屋敷《ゆうれいやしき》**」と名高《なだか》いレイナムホールは、今《いま》もタウンゼンド家《け》の所有《しょゆう》となっているが、一般《いっぱん》の人でも予約《よやく》を入れれば見学できる。

あまりにも広大《こうだい》な敷地《しきち》のなかにあるため、未知人《みちと》と豪《ごう》とポールの3人は、しばふの庭《にわ》をえんえんと歩《ある》いて、ようやく屋敷《やしき》の前《まえ》にたどりついた。

「いや〜、こんなに歩《ある》かされるとは。車、おいてこなきゃよかったな〜」

豪《ごう》は、ペットボトルの水をグイ飲《の》みすると、未知人《みちと》にビデオをまわさせ、すぐに撮影《さつえい》

▼今《いま》もタウンゼンド家《け》が所有《しょゆう》する屋敷《やしき》レイナムホール

をはじめた。

「はいっ、世界《せかい》のナゾにせまる、ミステリーガイド・ゴウです！　今日《きょう》はなんと、こちらにやってきました。ドドン！　イギリス、ノーフォーク州《しゅう》、レイナムホール！『レイナム』というだけに、霊《れい》にお経《きょう》を唱《とな》えにきました！『**霊《れい》、南無《なむ》～ッ！**』ナンチャッテ！

世界一有名《せかいいちゆうめい》な幽霊写真《ゆうれいしゃしん》が撮《と》られたこの屋敷《やしき》で、またまたオッソロシイものが写真《しゃしん》にうつっちゃった！　はたして霊《れい》はこの世《よ》に実在《じつざい》するのか、しないのか!?　これから、その真相《しんそう》にせまっていきたいと思《おも》います！」

しゃべりおえると、豪《ごう》はわらいながら、未知人《みちと》とポールにいった。

「よっし。それじゃ、おばけ屋敷探険《やしきたんけん》といくか」

入り口には管理人《かんりにん》がひとり。

豪《ごう》が名前《なまえ》を告《つ》げると、管理人《かんりにん》は予約《よやく》を確認《かくにん》し、「どうぞご自由《じゆう》にごらんください」と、3人をまねき入れた。

築《ちく》400年、重厚《じゅうこう》なつくりの屋敷《やしき》のなかは、昼《ひる》なおうすぐらい。

ほかの見学者《けんがくしゃ》も見あたらず、ひっそりとしずまりかえっていた。

チェス盤《ばん》のような大理石《だいりせき》の床《ゆか》や、大樫《おおがし》でつくられた階段《かいだん》の手すり——古《ふる》い屋敷《やしき》のなかを歩《ある》いていると、まるで昔《むかし》の時代《じだい》にタイムスリップしたような錯覚《さっかく》をおぼえる。

未知人《みちと》は、本で読《よ》んだこの屋敷《やしき》にまつわるうわさ話《ばなし》を思《おも》いだした。

レイナムホールで幽霊《ゆうれい》らしき女性《じょせい》が目撃《もくげき》されたとの記録《きろく》があるのは、ドロシーの死《し》から約《やく》100年後《ねんご》の1835年のこと——。

レイナムホールのなかのようす▶

その日はクリスマス。

パーティーにまねかれたゲスト数人《すうにん》が、**「茶色《ちゃいろ》のドレスをきた女性《じょせい》の幽霊《ゆうれい》を見た」**とうわさしはじめた。

幽霊《ゆうれい》は、ゲスト数人《すうにん》のベッドルームにもあらわれたという。

さらに翌年《よくとし》の1836年《ねん》、**フレデリック・メイヤー大佐《たいさ》**という人物《じんぶつ》が、幽霊《ゆうれい》の正体《しょうたい》をたしかめるため、この屋敷《やしき》で一晩《ひとばん》すごしたいといいだした。

その晩《ばん》、大佐《たいさ》は、ろうかのむこうにぶきみな光《ひかり》を見た。

光《ひかり》は、じょじょにこちらに近《ちか》づいてきた。

近《ちか》づくにつれ、それはランプのあかりであることがわかった。

ランプを手にしていたのは、茶色《ちゃいろ》い錦織《にしきおり》のドレスをきた女性《じょせい》である。

そのすがたは、屋敷《やしき》のなかにかざられている肖像画《しょうぞうが》のドロシー・ウォルポールにそっくりだが、目があるべきところは黒《くろ》いあなになっていた。

顔《かお》の色《いろ》は灰色《はいいろ》がかっていて、どう見ても、この世《よ》のものとは思《おも》えない。

大佐《たいさ》がドアのかげにかくれてようすをうかがっていると、奇妙《きみょう》な女性《じょせい》は目の前《まえ》にやっ

◀ドロシー・ウォルポールの肖像画《しょうぞうが》

てきて、ランプを自分《じぶん》の顔《かお》の位置《いち》にもちあげ、ニヤリと、悪魔的《あくまてき》にほほ笑《え》んだ。

大佐《たいさ》は、ドアのかげからとびだし、手にしていた拳銃《けんじゅう》で、至近距離《しきんきょり》から幽霊《ゆうれい》にむかって発砲《はっぽう》した。

しかし弾丸《だんがん》はその体《からだ》をすりぬけ、つぎの瞬間《しゅんかん》、女性《じょせい》は空気の中にきえていったという。

「これが、その肖像画《しょうぞうが》さ」

豪《ごう》は、そういって、屋敷《やしき》の一室《いっしつ》にかざられた女性《じょせい》の肖像画《しょうぞうが》を指《ゆび》さした。

「ドロシー・ウォルポール。こうして見ると、なかなかかわいらしい、チャーミングな女性《じょせい》だろ?」

未知人《みちと》は、銀色《ぎんいろ》の髪《かみ》をかきあげ、肖像画《しょうぞうが》をじっと見る。

肖像画《しょうぞうが》のドロシーは、薔薇色《ばらいろ》のほおをし、うっすらとほほ笑《え》んでいるようにも見えた。

「……そうだな。表情《ひょうじょう》はぜんぜんちがうけど、ポールの写真《しゃしん》にうつっている女性《じょせい》の顔《かお》に似《に》ている気もする」

そうこたえながら、未知人《みちと》は、かたわらのポールに目をやった。

ポールは肖像画《しょうぞうが》から目をそむけ、小刻《こきざ》みにふるえている。

「……感《かん》じるんだ。ぼくを監視《かんし》するようなあの視線《しせん》……この屋敷《やしき》に入ってから、ますます強《つよ》く感《かん》じるようになった」

未知人《みちと》は、無言《むごん》のまま、ふるえるポールを見つめていた。

聴覚《ちょうかく》が異常《いじょう》なまでに発達《はったつ》した未知人《みちと》は、かすかな足音やいきづかいもききのがさない。

じつは、この屋敷《やしき》に足をふみ入れたときから、何者《なにもの》かの気配《けはい》を感《かん》じていたのだ。

「……!?」

そのとき、未知人《みちと》は、首《くび》すじになにか、ひやりとするような感覚《かんかく》をおぼえた。

つき刺《さ》さるような視線《しせん》を感《かん》じ、ふりむくと、ななめうしろのドアが半開《はんびら》きになっている。そのドアのすきまに、一瞬《いっしゅん》、チラリと、黒《くろ》っぽい影《かげ》が横《よこ》ぎったような気がした。

(今《いま》のは、なんだ?)

正体《しょうたい》をつきとめようと、未知人《みちと》は、ひとり、ろうかへでていく。

――しかし、そこにはなにも見えなかった。

（……ポールがいっていた「つきまとう影《かげ》」？　それとも……）

屋敷《やしき》のなかをひととおり見てまわり、3人はメイン階段《かいだん》のある大広間《おおひろま》へとやってきた。

ここは、世界一有名《せかいいちゆうめい》な幽霊写真《ゆうれいしゃしん》「**Brown Lady**《ブラウン　レディ》」が撮《と》られた場所《ばしょ》だ。

ポールの写真《しゃしん》にうつっていた影《かげ》のような女の顔《かお》も、この大広間《おおひろま》にあらわれたのだ。

「うわあああっ‼」

そのとき、ポールが、とつじょ、さけび声《ごえ》をあげた。

「で、でた！　ゆゆ、幽霊《ゆうれい》！　少女《しょうじょ》と執事《しつじ》の幽霊《ゆうれい》がそこに！」

「少女《しょうじょ》と執事《しつじ》？」

未知人《みちと》はいぶかりながら、ポールが指《ゆび》さしたほうをふりむく。

そこには、ゴスロリのドレスをきたアンナと、執事《しつじ》のアーサーが立っていた。

「……ああ、なんだ。あいつらか」

未知人《みちと》は、アンナたちを一瞥《いちべつ》しながら、つぶやく。

(ひょっとして、さっきオレが見た影《かげ》は、アンナか執事《しつじ》……だったのか?)

未知人《みちと》がそんなことを考《かんが》えていると、アンナはつかつかとこちらにやってきた。

アンナたちは、すでに屋敷内《やしきない》の撮影《さつえい》を終《お》え、帰《かえ》るところだという。

「思《おも》ったとおり、幽霊《ゆうれい》の影《かげ》すら見えなかったわ。レイナムホールは、ただの古《ふる》い屋敷《やしき》。わざわざ日本《にほん》からやってきて、とんだムダ足だったわね」

「それはどうも」

未知人《みちと》は、そっ気《け》なくいいかえす。

すると、アンナは、物足《ものた》りないと感《かん》じたのか、なおもことばをつづけた。

「まったく、この国《くに》の幽霊《ゆうれい》ずきには辟易《へきえき》するわね。どこかで心霊写真《しんれいしゃしん》が撮《と》られるたびに、国中《くにじゅう》、大さわぎ。心霊写真《しんれいしゃしん》なんて、ぜんぶ偽造《ぎぞう》かぐうぜんの産物《さんぶつ》にきまってるのに!」

アンナは、そういって、いつもの**科学絶対主義**《かがくぜったいしゅぎ》的持論《てきじろん》を展開《てんかい》する。

「世界一有名《せかいいちゆうめい》な『Brown Lady《ブラウンレディ》』——あれは、**二重露光**《にじゅうろこう》**で撮**《と》**られたフェイク**だわ。今回《こんかい》、新聞《しんぶん》なんかで話題《わだい》になってるシミみたいな顔《かお》の写真《しゃしん》も、きっとアプリかなにかをつかって加工《かこう》したんじゃない? わたし、ぜったいに暴《あば》いてみせるわよ!」

宣戦布告《せんせんふこく》のようなことばをのこし、執事《しつじ》のアーサーとともに去《さ》っていくアンナ。

「そんな……ぼく、インチキなんかしてないよ……あの写真《しゃしん》は、専門家《せんもんか》も加工《かこう》のあとはないってみとめてくれたのに……」

ポールは、なみだ目になってつぶやいた。

「まあまあ、気にすんな。あの子は、ああいうキャラなんだ」

豪《ごう》は、そういって、ポールをなぐさめる。

「でも、くやしいですよ。あんなふうに頭《あたま》ごなしに否定《ひてい》されるなんて……」

ポールは、霊《れい》の視線《しせん》につきまとわれていることをだれにも本気でとりあってもらえず、なやんでいたらしい。

母失踪《ははしっそう》の話《はなし》を否定《ひてい》されてきずついた過去《かこ》をもつ未知人《みちと》は、思《おも》わずポールにいった。

「じつは……オレも見たんだ」

「え？」

「肖像画《しょうぞうが》の部屋《へや》で、視線《しせん》を感《かん》じてふりかえると、ドアのすきまを、影《かげ》みたいなものが横《よこ》ぎっていった」

「ほ、ほんとに？」

「ああ。だけど、あれがきみにつきまとっている幽霊《ゆうれい》かどうかは、今《いま》のところ断言《だんげん》できない。真実《しんじつ》ってヤツは、とことん見きわめなければ、手に入らないものなのさ」

「そ、そうだね。そのとおりだ。……ぼくはもうにげない。この屋敷《やしき》にひそむ幽霊《ゆうれい》を……ぼくにつきまとう影《かげ》の正体《しょうたい》を……とことん見きわめてやる！」

未知人《みちと》という味方《みかた》を得《え》て強気《つよき》になったのか、ポールはこぶしをにぎり、そう宣言《せんげん》した。

未知人《みちと》と豪《ごう》とポールの３人は、大広間《おおひろま》の階段《かいだん》の前《まえ》で霊現象《れいげんしょう》らしきものがおきるのをまっていた。

ドロシーは１７２６年に病死《びょうし》したといわれているが、じつは何者《なにもの》かに、この階段《かいだん》からつき落《お》とされたという説《せつ》もあるのだ。

しかし幽霊《ゆうれい》らしきものはあらわれず、時間《じかん》ばかりがすぎていく。

そのとき、照明《しょうめい》が落《お》ちた。

ポールは、ビクリと肩《かた》をふるわせる。

あたりはまっくらで、ふりだした雨が、まどをたたきつけている。

「もう閉館《へいかん》だ。話《はなし》はつけてあるからだいじょうぶさ」

豪《ごう》は、予約《よやく》の際《さい》にタウンゼンド家《け》と交渉《こうしょう》し、屋敷《やしき》で一晩《ひとばん》すごす許可《きょか》を得《え》ていた。

「でも、閉館《へいかん》ってことは……管理人《かんりにん》さん、もう帰《かえ》っちゃったんだよね。今《いま》、この屋敷《やしき》にいるのは……ぼくたち3人だけ？」

ポールが不安《ふあん》げにつぶやく。

「いい雰囲気《ふんいき》になってきたじゃないか」

豪《ごう》は、そういってわらう。

「なあ、幽霊《ゆうれい》がとくいな歌《うた》って知《し》ってるかい？　**ヨーデルさ。ユールレイヒ〜♪　よーでる、夜《よる》でる、よーでる、夜《よる》でる、夜霊《よーるれい》ヒーッ♪**」

ポールの気持《きも》ちをすこしでもなごませようとしたのだろうが、豪《ごう》のさむいダジャレ歌《うた》は、場《ば》をこおりつかせる。気づまりな沈黙《ちんもく》がしばらくつづいたあと、豪《ごう》はいった。

「オレは、ちょっとほかの部屋《へや》も見てくる。幽霊《ゆうれい》がでたら、スマホで知《し》らせてくれ」

このままでは撮《と》れ高《だか》がヤバイと思《おも》ったのか、豪《ごう》はビデオカメラを手に「**ユールレイヒ〜♪**」と歌《うた》いながら、広間《ひろま》をでていく。

その場《ば》にのこされたポールは、ブルッと身《み》をふるわせた。

もともと青白かった顔《かお》は、ますます蒼白《そうはく》になっている。

（気丈《きじょう》にふるまっているけど、きっとこわいのを相当《そうとう》がまんしているんだろうなぁ……）

未知人《みちと》は、なぐさめようとしたが、ことばが見つからない。
考《かんが》えているうちに、睡魔《すいま》に襲《おそ》われた。
長旅《ながたび》を経《へ》て、昨日《きのう》、イギリスに到着《とうちゃく》したばかりの未知人《みちと》。
自分《じぶん》でも気づかないうちに、つかれがたまっていたのかもしれない。

ハッとして目を開《あ》けたとき、ポールはいなくなっていた。

(……しまった!)

未知人《みちと》は自分《じぶん》の迂闊《うかつ》さを呪《のろ》う。
——ポールは、どこにいったのか?
(あの、影《かげ》のようなものを見て、追《お》いかけていった? それとも……)
未知人《みちと》は、こわばった顔《かお》であたりを見まわす。
——そのときだった。
「たす……け……て……」
かすかな声《こえ》がきこえた。——ポールの声《こえ》だ。

なにかに口をふさがれているのか、その声《こえ》はくぐもって、ふつうの人ではききとれないレベルだった。

しかし、未知人《みちと》の耳には、きこえたのだ。

未知人《みちと》は、階段《かいだん》をいっきにかけあがる。声《こえ》は、2階《かい》からきこえてきたからだ。

たどりついたバルコニーには、直角《ちょっかく》に面《めん》した長《なが》いろうかがあった。

ろうかをのぞくと、そのおくに、ぽつんとぶきみな光《ひかり》が見える。

メイヤー大佐《たいさ》の目撃談《もくげきだん》が、未知人《みちと》の脳裏《のうり》をよぎった。

(あの光《ひかり》は……ランプのあかり?)

思《おも》わず足がすくむ。ひたいからは、ジワリと、いやな汗《あせ》がにじみでた。

(いや……ためらっている場合《ばあい》じゃない。ポールをたすけなくては!)

未知人《みちと》は、自《みずか》らを奮《ふる》いたたせ、光《ひかり》にむかって走《はし》りだす。

ランプのような光《ひかり》は、しだいに大きくなった。

もうすこしで追《お》いつけるかのように思《おも》えたとき、光《ひかり》は左に動《うご》いたあと、ふいに未知人《みちと》の視界《しかい》からきえる。

（……え？　どこへいった？）

いぶかりながらも未知人《みちと》は、暗《くら》がりのなかを手さぐりで、前《まえ》にむかって進《すす》んでいった。

ろうかは、つきあたりになっていた。その先は、左右に道《みち》がわかれている。

（あかりの主《ぬし》は、この角《かど》を左にまがったのか）

未知人《みちと》は、ろうかを左にまがる。

しばらくいくと、ドアのすきまから、うすあかりがもれている部屋《へや》が見えた。

未知人《みちと》は、いきを殺《ころ》しながら、その部屋《へや》のドアをそっと開《あ》ける。

真《ま》っ先《さき》に目にとびこんできたのは、まどの外《そと》、雨あがりの空にうかぶ月だ。

血《ち》のような赤い色《いろ》をしている。

部屋《へや》の床《ゆか》には、ランタンがおかれ、そのそばで、大小ふたつの影《かげ》がうごめいていた。

ふたつの影《かげ》は、黒《くろ》っぽい服《ふく》をきた見知《みし》らぬ男と、ポールだ。

口をガムテープでふさがれたポールは、男におさえつけられ、もがきながら、「たすけて」と、くぐもった声《こえ》でさけんでいた。

「おまえは、どこまで知《し》っているんだ！」

男は、光《ひか》るなにかを手にポールを問《と》いつめている。

(ポールをつれ去《さ》ったのは、幽霊《ゆうれい》なんかじゃなかった。生きた人間《にんげん》の男だったんだ!!

……でも、どうしてポールを？　あの男は何者《なにもの》なんだ⁉)

しかし、考《かんが》えているヒマなどなかった。

男が手にしているのは、ナイフだったのだ。

それをポールののど元《もと》につきつけている。

「やめろ‼」

未知人《みちと》は、さけんで、男にむかっていく。

男は、すぐさま、手にしたナイフで未知人《みちと》にきりかかってきた。

すばやく体《からだ》を左右にふり、男の攻撃《こうげき》をかわす。

すきを見て、ナイフをもつ男の手首《てくび》をつかんだ。

しかし男は、渾身《こんしん》の力で未知人《みちと》をふりはらうと、その体《からだ》をおさえつけ、ナイフをつきつけてきた。

「バカなヤツ。わざわざ殺《ころ》されにくるとはな」

ナイフの切《き》っ先《さき》が、未知人《みちと》の眼前《がんぜん》にせまる。

(この状況《じょうきょう》……絶体絶命《ぜったいぜつめい》の危機《きき》ってヤツなのか?)

ポケットのなかのビー玉をギュッとにぎりしめ、恐怖《きょうふ》にたえながら、未知人《みちと》は、どうやってこの場《ば》をきりぬけようかと考《かんが》えをめぐらせた。

そのとき、男の手になにかがはげしくあたった。

豪《ごう》が、まわし蹴《げ》りで、男が手にしていたナイフをはじきとばしたのだ。

間髪《かんはつ》をいれずに男の胸《むね》ぐらをつかみ、投《な》げとばす豪《ごう》。

どすん!　という音とともに、男の体《からだ》が床《ゆか》にたたきつけられる。

「父《とう》さん、早くそいつを!」

未知人《みちと》がぬいだ服《ふく》をほうり投《な》げると、豪《ごう》はそれをキャッチして、たおれた男を手際《てぎわ》よくしばりあげた。そして警察《けいさつ》に通報《つうほう》の電話《でんわ》をかける。

「ポール、だいじょうぶか?」

床《ゆか》の上で放心《ほうしん》していたポールを、未知人《みちと》はたすけおこす。

ポールは、しばらくのあいだ、一点《いってん》を見つめたままになっていた。つぎの瞬間《しゅんかん》――。

「う、う、う……うわああああぁぁぁん！！！」

正気《しょうき》にかえったポールは、未知人《みちと》にすがりつき、声《こえ》をはりあげて泣《な》きだした。

男は、半年前《はんとしまえ》からイギリス中を震撼《しんかん》させていた、あの連続殺人鬼《れんぞくさつじんき》だった。

ポールを監視《かんし》し、つれ去《さ》ったのは、新聞《しんぶん》に掲載《けいさい》された幽霊《ゆうれい》の写真《しゃしん》が原因《げんいん》だった。写真《しゃしん》にうつっていた影《かげ》のような女の顔《かお》は、じつは男が殺《ころ》した被害者《ひがいしゃ》のひとり、オリビア・ブラウンという名の女性《じょせい》にも似《に》ていたのだ。

そして写真《しゃしん》には、ゴーストツアーの参加者《さんかしゃ》のひとりとして、犯人《はんにん》の男もうつっていた。幽霊《ゆうれい》の女が恨《うら》みのこもった目でにらみつけていた30代《だい》くらいの男――それこそが犯人《はんにん》だったのである。

「つまりポールが撮《と》った心霊写真《しんれいしゃしん》は、レイナムホールの地縛霊《じばくれい》じゃなくて、犯人《はんにん》にとり憑《つ》いていた被害者《ひがいしゃ》の霊《れい》がうつりこんだもの……ってオチなのか？」

翌日《よくじつ》。ホテルの1階《かい》にあるオープンカフェで、父《ちち》・豪《ごう》から、事《こと》の真相《しんそう》をきかされた未《み》知人《ちと》は、おどろきの表情《ひょうじょう》で問《と》いかえした。

「さあ……どうだか。そもそもあの顔《かお》は、シミみたいで判別《はんべつ》しにくいからな。ただすくなくとも犯人《はんにん》の男には、自分《じぶん》が殺《ころ》した女に見えたんだろう。そしてポールが自分《じぶん》の犯行《はんこう》を知《し》っていると考《かんが》え、彼《かれ》の口を封《ふう》じようとしたんだろうな」

「そうなると、ますますわからなくなる。あの写真《しゃしん》は本物《ほんもの》なのか、それとも……」

「もちろん、ニセモノよ！」

そのとき、未知人《みちと》の背後《はいご》で、とつぜん、声《こえ》がした。アンナである。

「あれは、**スマホのパノラマ機能《きのう》**をつかって撮《と》られたものだったのよ！」

パノラマ機能《きのう》は、複数《ふくすう》の写真《しゃしん》をつないで1枚《まい》の写真《しゃしん》をつくる。しかしアンナによると、撮影中《さつえいちゅう》になにかが動《うご》くと、不自然《ふしぜん》なものがうつることがあるという。

「ポールがあの写真《しゃしん》を撮《と》ったとき、階段《かいだん》の前《まえ》をだれかが横《よこ》ぎった。そのせいで奇妙《きみょう》な影《かげ》がうつった。それが、たまたま女性《じょせい》の顔《かお》のように見えたってだけ。つまり、あの写真《しゃしん》は、まったくのぐうぜんの産物《さんぶつ》ってことよ！」

アンナは、まくしたてると、アーサーの運転《うんてん》する車にのりこみ、走《はし》り去《さ》っていく。

未知人《みちと》と豪《ごう》は、あっけにとられて、そのすがたを見おくった。

帰国《きこく》の日。未知人《みちと》と豪《ごう》は、最後《さいご》にもう一度《いちど》、レイナムホールをおとずれた。

「アンナはああいっていたけど、犯人《はんにん》がたまたまうつった写真《しゃしん》に、たまたま被害者《ひがいしゃ》に似《に》た女性《じょせい》の顔《かお》がうつりこむ……そんなぐうぜんってあるか？」

「まあ、たしかに、ぐうぜんにしてはデキすぎているよな」

そんな話《はなし》をしていると、とつぜん、生《なま》あたたかい風《かぜ》がふき、未知人《みちと》の銀色《ぎんいろ》の髪《かみ》がゆれた。

「……今《いま》のは？　……ただの風《かぜ》？」

「いや、でも、まどなんか開《あ》いてないぞ？」

未知人《みちと》と豪《ごう》は、沈黙《ちんもく》しながら、しばしその場《ば》にたたずんだ。

ふしぎとこわい気はしなかった。この世《よ》に幽霊《ゆうれい》というものがいるのだとしたら、彼《かれ》や彼女《かのじょ》を恨《うら》みの霊《れい》に変《か》えてしまった人間《にんげん》のほうがおそろしい……そう感《かん》じたのだ。

（いつか安《やす》らぎがおとずれ、ドロシーの魂《たましい》がこの屋敷《やしき》から解放《かいほう》されますように……）

未知人《みちと》は、時《とき》が止《と》まったままの屋敷《やしき》の階段《かいだん》を見あげ、祈《いの》らずにはいられなかった。

3

人魚伝説《にんぎょでんせつ》 800年《ねん》生《い》きた尼《あま》

日本《にほん》

昔《むかし》、**若狭国《わかさのくに》**（今《いま》の福井県《ふくいけん》の南西部《なんせいぶ》）**小浜《おばま》**の長者《ちょうじゃ》が、見知《みし》らぬ男の家《いえ》にまねかれた。

そこで長者《ちょうじゃ》は、**得体《えたい》の知《し》れない生《い》き物《もの》**が料理《りょうり》されているのを見てしまう。

やがて食事《しょくじ》がだされたが、あの気味《きみ》の悪《わる》い肉《にく》には手をつけず、ふところにかくし、もち帰《かえ》った。

ところが、**18歳《さい》になる長者《ちょうじゃ》のむすめ**がそれをぐうぜん見つけ、食《た》べてしまう。

すると、むすめは何年《なんねん》経《た》っても若《わか》いまま、年をとらなくなったのだ。

「もしかしてあれは、蓬莱《ほうらい》の国《くに》にいるという伝説《でんせつ》の人魚《にんぎょ》の肉《にく》だったの？　いつまでもうつくしいまま長生《ながい》きできるなんてすてき！」

はじめはそう思《おも》っていたむすめ。

だが、親《おや》やきょうだい、親《した》しい人びとは自分《じぶん》をのこし、老《お》いて死《し》んでいく。

そして彼女《かのじょ》が120歳《さい》になると、まわりはとうとう知《し》らない人ばかりになってしまった。

「ああ……さびしい。**長生《ながい》き**するのがこんなにつらいことだったなんて……」

そうして彼女《かのじょ》は生きる意味《いみ》をうしなってしまい、髪《かみ》をそって尼《あま》となり、全国《ぜんこく》を旅《たび》してまわりはじめた。

それから長《なが》い長《なが》い時《とき》が経《た》ち、ついに800歳《さい》になると、生まれ故郷《こきょう》が恋《こい》しくなって小浜《おばま》にもどり、洞窟《どうくつ》のなかに身《み》をかくした。永遠《えいえん》に生きることのむなしさを感《かん》じていたのだろう。彼女《かのじょ》はこの洞窟《どうくつ》のなかで、そのまま亡《な》くなったと伝《つた》えられている――。

◀尼《あま》となったむすめの像《ぞう》

ピピピピ、ピピピピ、ピピピピ

アラームがなる。
ねむい目をこすりながら、まくら元《もと》においたスマホをタップしてアラームをとめる。
朝《あさ》の7時《じ》。未知人《みちと》があらかじめセットしておいた時間《じかん》だ。
ゆっくりとふとんから身《み》をおこし、はだけた浴衣《ゆかた》をなおす。
そして冷蔵庫《れいぞうこ》のなかに入れておいた水をとりだした。
冷《ひ》えた水を口にふくむと、ぼんやりしていた頭《あたま》がしだいにすっきりしてくる。

まだ外《そと》の景色《けしき》は白《しら》んでいる。

未知人《みちと》は今《いま》、福井県小浜市《ふくいけんおばまし》というところにきていた。

ここは父《ちち》・豪《ごう》といっしょに宿泊《しゅくはく》している老舗《しにせ》の旅館《りょかん》だ。

しばらくすると、豪《ごう》もおきてきた。

「おはよう。はやいな、未知人《みちと》」

「父《とう》さんがおそいんだよ」

「だってなぁ、地酒《じざけ》がおいしかったんだよぉ。名産品《めいさんひん》をおつまみに、ついおそくまで飲《の》んじゃって」

そんないいわけをきき流《なが》しつつ、今日《きょう》の撮影《さつえい》のしたくをする。

そして朝食《ちょうしょく》のため父《ちち》といっしょに部屋《へや》をでて、大広間《おおひろま》にむかってろうかを歩《ある》く。

すると、ききおぼえのある声《こえ》が近《ちか》づいてきた。声《こえ》の主《ぬし》も未知人《みちと》に気づいたようだ。

「え、ちょっと。なんで未知人《みちと》がここにいるの」

「……こっちのセリフだ」

マコは浴衣姿《ゆかたすがた》にポニーテールをゆらしながら、未知人《みちと》と距離《きょり》をつめる。

「わたしは家族旅行《かぞくりょこう》よ。このあたり、神社《じんじゃ》やお寺《てら》がおおいでしょ？　お母《かあ》さんが御朱印《ごしゅいん》めぐりにハマってて。せっかくの連休《れんきゅう》だからって、みんなできたの」

見れば、マコの両親《りょうしん》と豪《ごう》は、ろうかですっかり談笑《だんしょう》をはじめている。

「で、こんどはどんな『調査《ちょうさ》』なの？」

「……人魚伝説《にんぎょでんせつ》だよ」

「え、ステキ！」

「そうかな……」

マコは目《め》をかがやかせているが、未知人《みちと》は寝《ね》グセのついた頭《あたま》をポリポリかきながら、なにか、かんちがいをしているな、と思《おも》った。

未知人《みちと》たちが朝食《ちょうしょく》を終《お》え、部屋《へや》にもどるため、ろうかを歩《ある》いていると、なんだかロビーの受付《うけつけ》がさわがしい。

見ると、白いワンピースをきた女の人が、受付《うけつけ》のおじさんをはげしく問《と》いつめているようだった。

おじさんがこまった顔《かお》をしながら、うけこたえしている。

するとしばらくして、女の人はあきらめたのか、いらだったようすで未知人《みちと》たちの横《よこ》をとおりすぎ、去《さ》っていった。

大学生くらいだろうか。きれいな長《なが》い黒髪《くろかみ》の美人《びじん》だった。

しかしその目には、鬼気《きき》せまるような必死《ひっし》さが感《かん》じられた。

「なにかあったんですか？」

あっけにとられていた受付《うけつけ》のおじさんに、豪《ごう》がかけよってきく。

「それが……**人魚《にんぎょ》の肉《にく》はどこで手に入るんだ**っていうんです」

「なんだって⁉」

「たしかにこの町には人魚《にんぎょ》のいい伝《つた》えがあるけど、そんなのわかるわけもない。だけどどんなにいってもあのお客《きゃく》さん、きかなくて、こまってたんです……」

はなれたところにいた未知人《みちと》の耳にも、その会話《かいわ》は入ってきた。

どうやらあの女の人も未知人《みちと》たちとおなじく、人魚伝説《にんぎょでんせつ》を追《お》ってここにきたようだ。

しかし、未知人《みちと》はさっきの女の人の表情《ひょうじょう》が、みょうに気になった。

◀福井県《ふくいけん》にある空印寺《くういんじ》の門《もん》

歴史《れきし》を感《かん》じさせるりっぱな門《もん》をくぐる。緑豊《みどりゆた》かな山が近《ちか》い。未知人《みちと》たちは今《いま》、マコの家族《かぞく》とともに**空印寺**《くういんじ》という寺《てら》をおとずれていた。境内《けいだい》はうつくしく整《ととの》えられており、本堂《ほんどう》も荘厳《そうごん》な雰囲気《ふんいき》をもっている。

旅館《りょかん》をでるタイミングで、天堂家《てんどうけ》と未知人《みちと》たちの目的地《もくてきち》がおなじということがわかり、2家族《かぞく》はいっしょにいくことになったのだ。

「いつもいってるけど、なんででかける前《まえ》に寝《ね》グセをなおしてこないのよ」

「うるさいな……」

ふだん、人を避《さ》けている未知人《みちと》も、相手《あいて》がマコとなると話《はなし》が変《か》わる。

マコは未知人《みちと》の閉《と》ざそうとする心《こころ》のとびらを、いつだってこじ開《あ》けてくる。

それがわかっているから、むりにかたくなになるよりも、きちんとうけこたえしたほうがめんどうではない。

それに、マコは一言《ひとこと》でいえば、超《ちょう》がつくほどのおせっかい焼《や》きなのだ。

以前《いぜん》、調査旅行《ちょうさりょこう》からもどって、ひさしぶりに登校《とうこう》したときもそうだった。

クラスメイトから「こんどは北極《ほっきょく》にいったのか？　その頭《あたま》なら、白クマに仲間《なかま》だと思《おも》われるだろーな」だの「オーチューブのために年中外国《がいこく》につれまわして、おまえの父《とう》ちゃん虐待《ぎゃくたい》じゃねーの」だの、ちょっかいをかけられた。

未知人自身《みちとじしん》は「いいたいやつには、いわせておけ」とムシしていたのだが、マコはわざわざクラスメイトに正論《せいろん》でいいかえしていたものだ。


「それにしても、なんでマコんちまでいっしょなんだ」

「お母《かあ》さん、パワースポットもすきなの。ここ、長寿祈願《ちょうじゅきがん》の場所《ばしょ》があるんだって」

「オレたちもそこに用事《ようじ》があるんだ」

「ここって山だけど、人魚《にんぎょ》は関係《かんけい》あるの？」

「関係《かんけい》は、ある」

すると、マコの母《はは》がいう。

「わたしたち、まずは御朱印《ごしゅいん》をいただいてくるけど、マコはどうする？」

「未知人《みちと》と先にパワースポットにいっててもいい？」

「あら、そう。よろしいかしら、世開《せかい》さん」

「ええ、マコちゃんのことは、おまかせください」

豪《ごう》は、胸《むね》をはってこたえた。


『八百比丘尼入定地《はっぴゃくびくににゅうじょうち》』


空印寺《くういんじ》の敷地内《しきちない》に、その石碑《せきひ》は立っていた。マコがその石碑《せきひ》をまじまじと見る。

「はっぴゃく……これ、なんて読《よ》むの？」

「**『はっぴゃくびくに』**さ」

未知人《みちと》がこたえる。

「そうよばれた不老長寿《ふろうちょうじゅ》の尼《あま》さんがいたんだ。元《もと》は、このあたりの長者《ちょうじゃ》のむすめだった」

「**入定《にゅうじょう》**っていうのは？」

「こっちの看板《かんばん》に説明《せつめい》が書《か》いてある」

「入定《にゅうじょう》」とは、仏教《ぶっきょう》の僧侶《そうりょ》が亡《な》くなるときにつかわれることばだ。

マコが看板《かんばん》を見ると、説明《せつめい》には「**生きたまま身《み》をかくし、静《しず》かに死《し》をまつこと**」とある。

柵《さく》があるため近《ちか》づくことはできないが、むこうには一体《いったい》の尼《あま》の石像《せきぞう》が見え、そして、そのおくには、うすぐらい洞穴《ほらあな》が黒《くろ》い口を開《あ》けている。

「つまり、八百比丘尼《はっぴゃくびくに》さんは、あの洞穴《ほらあな》のなかで亡《な》くなったっていうことね」

「そうだ」

豪《ごう》が、未知人《みちと》とマコにうしろから話《はな》しかける。

「ふたりとも、よく見てごらん。そこのあなの入り口に**ツバキ**がさいているだろう? **あれが枯《か》れるまでは生きつづける**と比丘尼《びくに》がいったなんて話《はなし》もあるんだよ。だから案外《あんがい》まだどこかで元気《げんき》に生きてたりしてな!」

そういって大わらいする父《ちち》のことばを、未知人《みちと》はてきとうにきき流《なが》した。

なんでも江戸時代《えどじだい》に、この寺《てら》の住職《じゅうしょく》が洞穴《ほらあな》のおくに入ってみたところ、丹波国《たんばのくに》(今《いま》の京都府中部《きょうとふちゅうぶ》と兵庫県東部《ひょうごけんとうぶ》のあたり)にでてしまったそうだ。

ただそのあと、洞穴《ほらあな》のおくがくずれて、ふさがってしまったらしい。

そんな豪《ごう》の話《はなし》をマコは優等生《ゆうとうせい》らしくまじめにきくと、八百比丘尼《はっぴゃくびくに》伝説《でんせつ》に興味《きょうみ》をもったようすだった。

そのあと、豪《ごう》が、動画《どうが》にさしこむ写真《しゃしん》の撮影《さつえい》に夢中《むちゅう》になりはじめたので、未知人《みちと》は手もちぶさたになった。

「ねえねえ」

マコが話《はな》しかけてきた。

「それで、八百比丘尼《はっぴゃくびくに》さんって、どういう人なの？」

「むかし、18歳《さい》の女の子が人魚《にんぎょ》の肉《にく》を食《た》べた。そうしたら、その女の子はまったく老《お》いることがなくなった。それで120歳《さい》になったころ、尼《あま》さんになって全国《ぜんこく》を旅《たび》しながら800歳《さい》まで生きて、ここで亡《な》くなったんだ」

「ああ、それで八百比丘尼《はっぴゃくびくに》ってわけ。え、ていうかその人、**人魚《にんぎょ》……食《た》べちゃったの⁉**」

「そう。食《た》べたのは、興味本位《きょうみほんい》だったようだけど。人魚《にんぎょ》の肉《にく》には、不老長寿《ふろうちょうじゅ》の効果《こうか》があるっていう伝説《でんせつ》が日本《にほん》にはあるんだ」

「人魚《にんぎょ》って、『人魚姫《にんぎょひめ》』の人魚《にんぎょ》だよね」

「あっははは、やっぱりかんちがいしてたんだな」

未知人《みちと》はわらいながら、日本《にほん》の人魚伝説《にんぎょでんせつ》についておしえてあげることにした。怪異《かいい》の話題《わだい》になると、ついおしゃべりになってしまうのだ。

人魚《にんぎょ》といえば、上半身《じょうはんしん》はうつくしい女性《じょせい》、下半身《かはんしん》は魚《さかな》というすがたを想像《そうぞう》するだろう。マコもいったとおり、アンデルセンの童話《どうわ》『人魚姫《にんぎょひめ》』が有名《ゆうめい》である。

だが、日本《にほん》に古《ふる》くから伝《つた》わる人魚《にんぎょ》はすがたがまったくちがう。

「**人魚伝説《にんぎょでんせつ》は世界中《せかいじゅう》にある。**日本《にほん》でも各地《かくち》で伝説《でんせつ》がのこっていて、古《ふる》い記録《きろく》では西暦《せいれき》で619年にまでさかのぼれる」

「ええ、すごい！　それって飛鳥時代《あすかじだい》、聖徳太子《しょうとくたいし》がいたころじゃない」

「ただ、マコが想像《そうぞう》しているようなものとはちがう。鬼《おに》みたいな顔《かお》をしていて、首《くび》から下は魚《さかな》。いってみれば人面魚《じんめんぎょ》みたいなすがたなのさ」

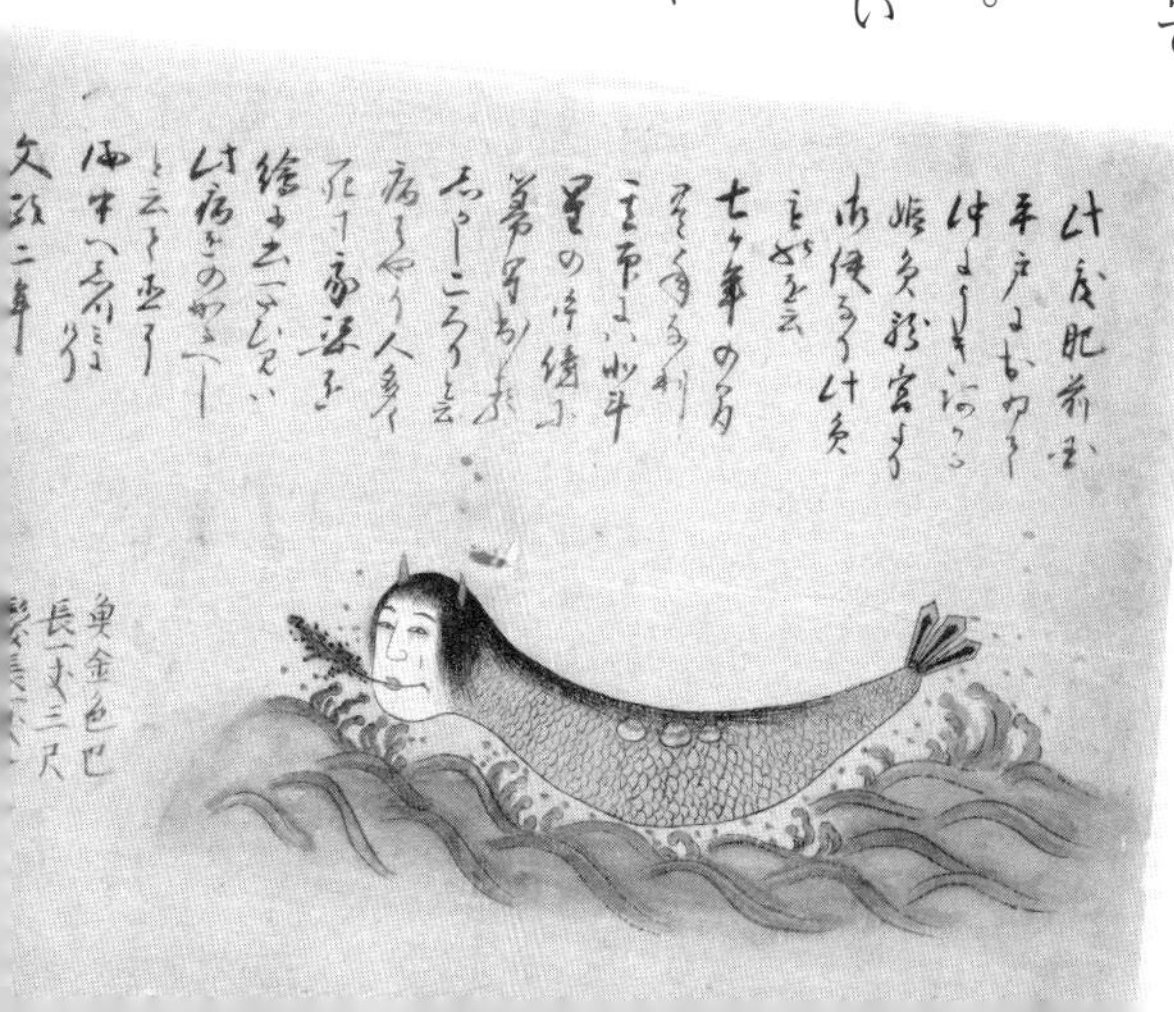

◀江戸時代《えどじだい》にえがかれた人魚《にんぎょ》

「え、そうなの!?」

「まあ、上半身《じょうはんしん》まで人型《ひとがた》の人魚《にんぎょ》も伝《つた》わってるんだけど。たいていは化《ば》け物《もの》じみたすがたでえがかれている。いわゆる『マーメイド』タイプが日本《にほん》に定着《ていちゃく》したのは、大正時代《たいしょうじだい》のころといわれている」

「そうだったの。それで、こんどは人魚《にんぎょ》が実在《じつざい》するかを解明《かいめい》したいってわけ?」

「なにをいってるんだ。人魚《にんぎょ》はミイラが何体《なんたい》ものこされているんだよ」

「え、それじゃあ本当《ほんとう》にいるっていうこと!?」

マコが口をポカンと開《あ》けておどろいた。

そのリアクションを見て、未知人《みちと》はふたたび声《こえ》をあげてわらう。

「まあ、それらはつくりものなんだけどね。見世物小屋《みせものごや》で、はやった時代《じだい》があって、たくさんつくられたのさ。日本《にほん》の職人《しょくにん》がつくった人魚《にんぎょ》のミイラはとてもできがよくて、世界中《せかいじゅう》をおどろかせた。工芸品《こうげいひん》だとわかってからもね」

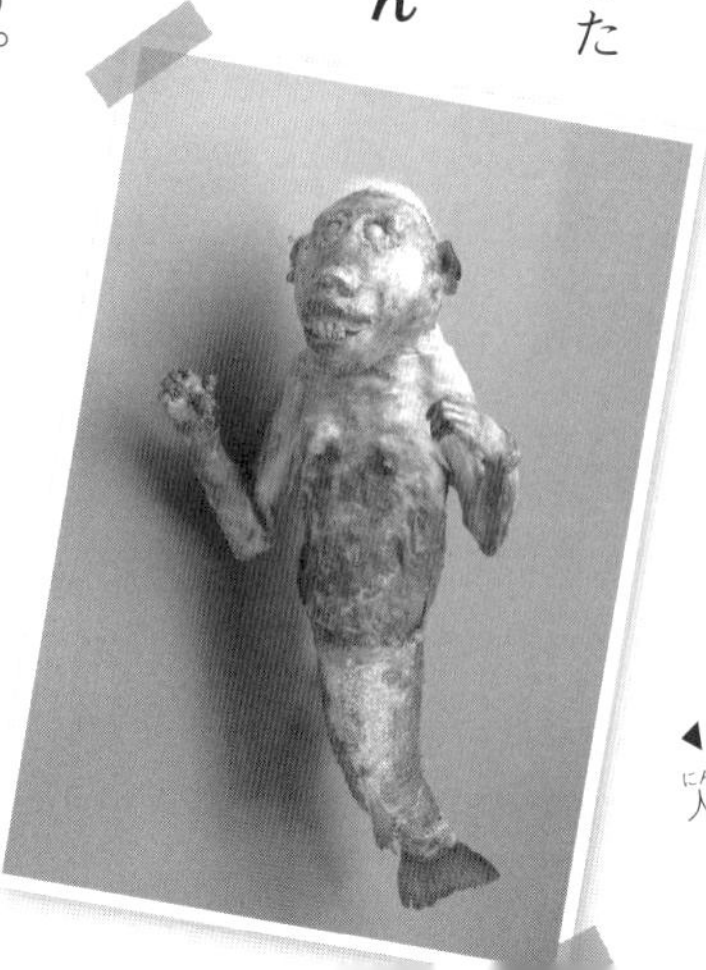

◀国立歴史民俗博物館《こくりつれきしみんぞくはくぶつかん》にある人魚《にんぎょ》のミイラ

もし豪《ごう》が話《はなし》をきいていたら、ここできっと「これがホントの人魚《にんぎょ》の人形《にんぎょう》!」とでもいって場《ば》を凍《こお》りつかせるだろうと未知人《みちと》は思《おも》った。

だがさいわい、きいていなかったようだ。

ただ、そんなことを思《おも》いつく時点《じてん》で、だいぶ毒《どく》されているなと複雑《ふくざつ》な気分《きぶん》になる。

よくも悪《わる》くも、父《ちち》の影響《えいきょう》というのは大きいらしい。

「なーんだ。じゃあ、やっぱり人魚《にんぎょ》はいないんじゃない」

「そうとはいいきれない。世界中《せかいじゅう》にいくつもの目撃譚《もくげきたん》や伝説《でんせつ》があるってことは、**ひろい海《うみ》のどこかに実在《じつざい》しているか、かつて実在《じつざい》していた可能性《かのうせい》もゼロじゃない**」

「うーん、たしかにそうだけど」

「だいたい人魚《にんぎょ》を否定《ひてい》したら、この八百比丘尼伝説《はっぴゃくびくにでんせつ》も否定《ひてい》することになる。そうしたら、マコやマコのお母《かあ》さんが信《しん》じてる、ここが長寿《ちょうじゅ》のパワースポットだっていう話《はなし》も否定《ひてい》することになるんじゃないか?」

「あ……」

マコは、いいかえすことができず、くやしそうな表情《ひょうじょう》をうかべた。

「だけどなぁ……不老長寿《ふろうちょうじゅ》なんて、そんなにいいものかな」

ポリポリ鼻《はな》の頭《あたま》をかくと、未知人《みちと》の頭《あたま》のなかに幼《おさな》いころの記憶《きおく》がよみがえってきた。


「どうして人はいつか死《し》んじゃうの？」

「人にかぎったことじゃない。生《い》き物《もの》はすべて、いつか死《し》んでしまうものなんだよ」

「ぜったい？」

「ああ。ぜったいだ」

小学校低学年《しょうがっこうていがくねん》のころ、父《ちち》とこんな会話《かいわ》をしたことがある。

ある晩《ばん》、『死《し》』がたまらなくこわくなり、ねむれなくなったときにたずねたのだ。

ねむったら、もう二度《にど》と目がさめないかもしれない。

そんな想像《そうぞう》が、まぶたをとじることを拒絶《きょぜつ》する。

「ぼく、死《し》にたくないよ……」

そのとき父《ちち》は、ベッドにそい寝《ね》しながら、頭《あたま》をやさしくなでてくれた。

「いつかおわりがくるから、人は一生懸命《いっしょうけんめい》生きられるんだ。でもだいじょうぶ。未知人《みちと》

には、まだたくさんの明日《あす》がくるよ。未知人《みちと》にとって無限《むげん》の可能性《かのうせい》に満《み》ちた明日《あす》だ――」

「未知人《みちと》。未知人《みちと》っ！」

マコがよぶ声《こえ》に、彼《かれ》はハッとしてわれにかえる。

「もう。きゅうにボーッとしちゃって」

「ごめんごめん……さて、それじゃあこれからどうしようか」

人魚《にんぎょ》のモデルとなったのは、マナティやジュゴンだとする説《せつ》もある。

だが、日本人《にほんじん》がそれらの生《い》き物《もの》をはじめて見る以前《いぜん》から、人魚伝説《にんぎょでんせつ》は存在《そんざい》する。

リュウグウノツカイという魚《さかな》だとする説《せつ》もある。

しかし、いくらなんでも、あの見た目から人面魚《じんめんぎょ》のような怪物《かいぶつ》を想像《そうぞう》するだろうか。

真相《しんそう》はまだわからない。

というわけで、世界中《せかいじゅう》をとびまわる豪《ごう》と未知人《みちと》は、そのつど、ついでに各地《かくち》にちらばる人魚伝説《にんぎょでんせつ》についても調査《ちょうさ》をしていた。

▼リュウグウノツカイ

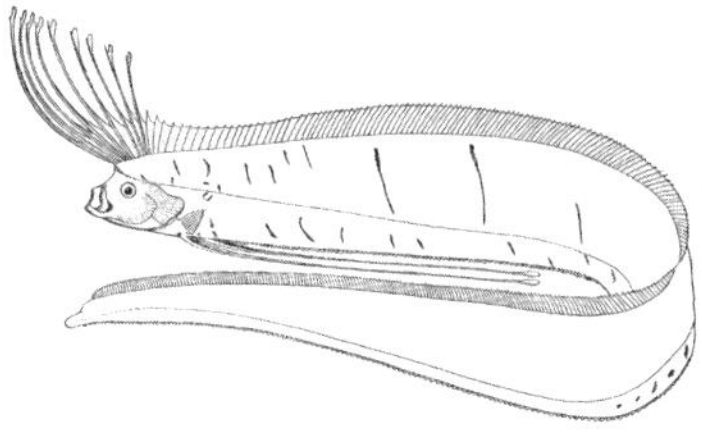

もちろん、あるていど情報《じょうほう》がまとまると、動画《どうが》にしてオーチューブに公開《こうかい》している。

こういう「続報《ぞくほう》モノ」にもけっこうファンはついていて、新《あら》たな動画《どうが》をアップするたび、さいしょにあげた動画《どうが》までさかのぼって再生数《さいせいすう》がのびるからオイシイのだ。

とくに「人魚《にんぎょ》」のようなメジャーな未確認生物《みかくにんせいぶつ》は、人気が高《たか》い。

「どうせならあの洞穴《ほらあな》に入って、おくがふさがっているか調《しら》べられたらよかったが……」

するとそのとき。

「人気《にんき》オーチューバーのあなたがここにいるってことは、人魚《にんぎょ》は本当《ほんとう》にいるのよね!? ねえ、人魚《にんぎょ》の肉《にく》はどこにあるの!? 知《し》ってるんでしょう!?」

未知人《みちと》がふりかえると、女の人が豪《ごう》につかみかかり、ものすごい剣幕《けんまく》でさけんでいた。

旅館《りょかん》で見かけたあの白いワンピースの女の人だ。

「ええと、おじょうさん。とりあえずおちついて」

「いいなさいよ! それともひとりじめするつもり!?」

豪《ごう》がどんなになだめようとしても、女の人はヒステリックにわめくばかりで、きく耳をもたない。

どうしたものかと未知人《みちと》もとまどう。

するとマコが女の人のところにスタスタと歩《ある》いていき、ためらうことなく話《はな》しかけた。

「お姉《ねえ》さん。それじゃあ、話《はな》したくても話《はな》せませんよ」

女の人がマコのほうをむき、ハッとした表情《ひょうじょう》をうかべる。

どうやらマコの笑顔《えがお》を見て、自分《じぶん》のしていることに気づいたようだった。

「……ごめんなさい。わたし、失礼《しつれい》なことを」

「人魚《にんぎょ》の肉《にく》をおもとめのようですが、ざんねんながら、わたしにもどこで手に入るかはわからないんですよ」

豪《ごう》は、女の人にやさしくいう。

「しかしそんなに必死《ひっし》になるということは、なにか事情《じじょう》がおありのようだ。さしつかえなければ、うかがっても？」

「それは――」

女の人が口を開《ひら》こうとした瞬間《しゅんかん》、彼女《かのじょ》のスマホがなった。

豪《ごう》に小さく会釈《えしゃく》をして、すこしはなれたところまで歩《ある》いていき、電話《でんわ》にでる。

すると、その顔《かお》は、みるみるうちに青ざめていった。

「……リョウは──」

未知人《みちと》の耳に不吉《ふきつ》なことばが入ってきた。あの女の人がもつ電話《でんわ》のむこうの声《こえ》だ。

「そんな……そんなことって！　ああっ！」

とつぜん、女の人がさけぶ。

そして号泣《ごうきゅう》しながら、寺《てら》の外《そと》にむかって走《はし》っていった。

その場《ば》にのこされ、立ちつくす未知人《みちと》たち。

「なんだったんだろうな……」

まるで嵐《あらし》のような展開《てんかい》に、豪《ごう》も呆然《ぼうぜん》とするしかない。

だが、マコはちがった。彼女《かのじょ》は未知人《みちと》に耳打《みみう》ちする。

「……わたし、あの人が心配《しんぱい》」

「ああ、そうだな」

マコのおせっかいな性格《せいかく》が、ここでも発揮《はっき》された。

だが、悪《わる》い予感《よかん》がしたのは未知人《みちと》もおなじだった。

豪《ごう》のほうを見ると、気をとりなおして洞穴《ほらあな》の写真《しゃしん》を撮《と》ろうとカメラをかまえている。

未知人《みちと》は、そんな父《ちち》に話《はな》しかけた。

「父《とう》さん。オレたち、ちょっとそのへんブラブラしてきていいかな」

「ん？　まあ、かまわないが。そんなに遠《とお》くにいくなよ」

ふたりは、寺《てら》の外《そと》にかけていった。

「どこにいったんだ」

未知人《みちと》は左右を見まわす。が、人影《ひとかげ》は見あたらない。

父《ちち》に話《はな》しかけたわずかな時間《じかん》のロスにより、見うしなってしまったのだ。

「ねえ。人魚《にんぎょ》の肉《にく》を食《た》べたら不老長寿《ふろうちょうじゅ》になるんでしょ？」

「そういわれてるな」

「あの人も、そうなりたかったのかな？」

「どうだろうな……」

「あの人、泣《な》いてた。あんなに必死《ひっし》にさがしてたんだもん。きっとなにか事情《じじょう》があるはずだよ」

そういうと、マコはまっすぐ走《はし》りだす。

「あっ、まてって！」

未知人《みちと》もあわててついていく。

すると、すこし走《はし》ったところで海《うみ》にでた。このあたりは海《うみ》と山が近《ちか》いのだ。

夏《なつ》は、海水浴場《かいすいよくじょう》になるのだろう。うつくしい砂浜《すなはま》がひろがり、波《なみ》がうちよせている。

ただ、シーズンではない海《うみ》べに人の気配《けはい》はなく、ザザーン、ザザーンときこえてくるその音もどこか物悲《ものがな》しい。

その砂浜《すなはま》へおりる階段《かいだん》の近《ちか》くに看板《かんばん》があり、その前《まえ》にマコが立っていた。

「『**人魚《にんぎょ》の浜《はま》**』……このビーチの名前《なまえ》みたいね」

「人魚《にんぎょ》は不吉《ふきつ》の象徴《しょうちょう》……、世界中《せかいじゅう》にある伝説《でんせつ》のほとんどが悲《かな》しい話《はなし》だ」

未知人《みちと》もマコも、あの女の人をさがし、あたりを見まわしながら歩《あゆ》みをすすめる。

「でも、八百比丘尼《はっぴゃくびくに》の伝説《でんせつ》は、不老長寿《ふろうちょうじゅ》のお話《はなし》なんでしょう？　悲《かな》しいお話《はなし》じゃないんじゃないの？」

「マコは、不老長寿《ふろうちょうじゅ》が悲劇《ひげき》じゃないと思《おも》ってるのか？」

「だって、いつまでも若《わか》さを保《たも》ったまま長生《ながい》きできるなんて——」

「いた！」

未知人《みちと》が、マコのことばをさえぎって指《ゆび》さした先。

遠《とお》くの物《もの》かげから砂浜《すなはま》に、白いワンピースの女の人がでてきた。

彼女《かのじょ》はそのままゆっくり歩《ある》き、海《うみ》へとむかっていく。

「リョウ……わたしも今《いま》すぐそっちにいくね」

女の人のつぶやく声《こえ》が、未知人《みちと》の耳にとびこんでくる。

「いけない！」

未知人《みちと》はすぐさま走《はし》りだす。

だが砂浜《すなはま》では力強《ちからづよ》くけろうとするほど、足は砂《すな》にうもれてしまいうまく走《はし》れない。

そして、とうとうころんでしまった。

「クソッ！」

女の人はくつのまま、まっすぐ海《うみ》のなかを歩《ある》いていく。

波《なみ》が、足やスカートをぬらすのも気にしていない。

それを見て、マコも事態《じたい》を察《さっ》したようす。

「バカね。こっちのほうが走《はし》りやすいわ」

そういうと、波打《なみう》ち際《ぎわ》まで慎重《しんちょう》にかけていき、そこから砂《すな》がぬれているところを全力《ぜんりょく》疾走《しっそう》した。

未知人《みちと》も立ちあがるとマコを追《お》う。だが、先にかけだしたマコには追《お》いつきそうもない。むしろその差《さ》はどんどんひろがっていく。

そしてマコは、ためらうことなく海《うみ》のなかまで走《はし》っていった。

「ダメですよ、そんなことしちゃ！」

マコが手をつかむと、女の人はハッとしてふりかえる。

「はなして！　もう生きてる意味《いみ》なんてないの！」

「話《はな》しをきかせてください！　まずはそれからです！」

マコの真剣《しんけん》なまなざしを見て、女の人はとうとう観念《かんねん》し、声《こえ》をあげて泣《な》きだした。

ふたりはすでに、腰《こし》の下まで海水《かいすい》につかっていた。

もしこの人が、これ以上深《いじょうふか》いところまでいっていたら、追《お》いつかなかっただろう。

それから、泣《な》きじゃくっていた女の人を砂浜《すなはま》までつれもどした未知人《みちと》とマコ。

ふたりは彼女《かのじょ》を砂浜《すなはま》にすわらせて、おちつくまでまった。

正直《しょうじき》、マコがいてくれてよかったと未知人《みちと》は思《おも》った。ひとりだったら、泣《な》いている大人《おとな》の女性《じょせい》を前《まえ》に、どうしたらいいかわからなかったはずだ。

女の人はミクニと名乗《なの》った。ひとりでこの町にきたらしい。

そして、すこしずつ話《はなし》ができるようになると、未知人《みちと》はきりだした。

「リョウさんというのは？」

その名前《なまえ》をきくと、ミクニはハッとする。

「どうしてその名前《なまえ》を？」

「……きこえたんです。それより」

「……結婚《けっこん》を約束《やくそく》した人よ。でも1年前《ねんまえ》にリョウはお医者様《いしゃさま》も見はなすような不治《ふじ》の病《やまい》にかかってしまって。日に日に弱《よわ》っていって……もうのこされた時間《じかん》もすくないって」

「なるほど。それで人魚《にんぎょ》の肉《にく》をさがしていたんですね。その人に食《た》べさせようと」

「そうだったんだ……」

つぶやくマコの目は潤《うる》んでいる。

「わらにもすがる思《おも》いでここにきた。でも、さっき電話《でんわ》で、リョウが亡《な》くなったって……。それで、わたしも彼《かれ》のところに旅立《たびだ》とうって……」

「だめですよ、そんなの！」

マコは、ミクニをはげまそうとする。

だが、愛《あい》する人をうしなったばかりの彼女《かのじょ》の心《こころ》にはとどかない。

「生きてたって無意味《むいみ》よ！　わたしは一生、リョウのことをわすれない。でも思《おも》いだすたび、今《いま》のくるしい気持《きも》ちにおそわれる。リョウがこの世《よ》からいなくなった瞬間《しゅんかん》、わたしの時間《じかん》は止《と》まってしまったの」

「……まるで**八百比丘尼**《はっぴゃくびくに》だな」

未知人《みちと》がつぶやくと、マコがふしぎそうな顔《かお》をする。

「どういうこと？」

「彼女《かのじょ》の時《とき》は止《と》まり、老《お》いることはない。しかし、親《した》しい人や愛《あい》する人は死《し》んでいく。

この伝説《でんせつ》はそんな、のこされた者《もの》の悲劇《ひげき》として語《かた》られているんだ。でもね、ミクニさん。

それでも八百比丘尼《はっぴゃくびくに》は８００年生きたんですよ」

「わたしは、このつらさにたえられそうもない！　あなたたちにはわるいけど、きっとまたすぐに、おなじことをする」

そういうと、ミクニはうつむき、ふたたびさめざめと泣《な》きだした。

マコが未知人《みちと》を見る。

なんとかしてあげたい。マコの顔《かお》にはそう書《か》いてある。

未知人《みちと》だって、できることならそうしたいのはおなじだった。

「……気休《きやす》めかもしれませんけど」

未知人《みちと》が口を開《ひら》くと、ミクニがピクリと反応《はんのう》した。

それを未知人《みちと》は、話《はなし》をきいてくれるつもりがあると、うけとった。

「さっきオレは、八百比丘尼《はっぴゃくびくに》の話《はなし》を『悲劇《ひげき》として語《かた》られてる』っていいましたよね」

すると、ミクニが小さくうなずく。

「でもオレは……本当《ほんとう》はちょっとちがうんじゃないかと思《おも》ってるんです」

「そうなの？」

マコが、興味深《きょうみぶか》そうにきいてくる。

「なぜなら、八百比丘尼《はっぴゃくびくに》は１２０歳《さい》で僧侶《そうりょ》となってから８００歳《さい》で入定《にゅうじょう》するまで、６８０年ものあいだ、全国《ぜんこく》を旅《たび》しているんですよ。しかも、その伝説《でんせつ》は日本全国《にほんぜんこく》１００か所以上《しょいじょう》で**現代《げんだい》にのこされている**んです」

「へえ、すごい！」

目をかがやかせながらあいづちをうってくれるマコ。未知人《みちと》の舌《した》が、なめらかになった。

「新潟《にいがた》や愛知《あいち》では、それぞれの場所《ばしょ》で彼女《かのじょ》の生誕《せいたん》の地《ち》だと伝《つた》えられています。さらに変《か》わった伝説《でんせつ》だと、岐阜《ぎふ》では**浦島太郎《うらしまたろう》**とまざっているものまであるんです」

「おもしろいのね」

「また各地《かくち》の領主《りょうしゅ》に昔話《むかしばなし》をしたなどの伝承《でんしょう》もあるので、いく先々《さきざき》で人との交流《こうりゅう》もあったのでしょう。京都《きょうと》に伝《つた》わるところによると、道《みち》や寺社《じしゃ》をなおしたり、橋《はし》をかけたりといった社会事業《しゃかいじぎょう》をおこなったともいわれています」

「人の役《やく》に立つことをしたのね。りっぱだなぁ」

「そう。つまり彼女《かのじょ》は、自身《じしん》におきた悲劇《ひげき》を胸《むね》のなかにかかえながら、**それでも生きる意《い》味《み》を見出《みいだ》した**。これはそんな、希望《きぼう》の伝説《でんせつ》だと考《かんが》えることもできるんじゃありませんか」

未知人《みちと》が力説《りきせつ》すると、ミクニは顔《かお》をあげ、彼《かれ》を見つめた。

すこしおどろいたような顔《かお》だ。

あとひとおしだ、と未知人《みちと》は思《おも》った。

だが、八百比丘尼《はっぴゃくびくに》の話《はなし》はここまでで、これ以上《いじょう》はひろがらない。

なにをいえば、ミクニの心《こころ》を動《うご》かせるのだろうと、未知人《みちと》は、かんがえをめぐらせた。

そのとき、あることばが脳裏《のうり》にうかんだ。

「人の命《いのち》に、いつかおわりはやってきます。だからこそ、一生懸命《いっしょうけんめい》生きることができるんです。ミクニさんには、まだたくさんの明日《あす》がきます。無限《むげん》の可能性《かのうせい》に満《み》ちた明日《あす》が。リョウさんも、あなたに生きぬいてほしいと望《のぞ》んでいるんじゃないですか」

「わたしにも、生きる意味《いみ》が見つかる日はくる……？」

「もちろんです。**あなたがツバキを枯《か》らすのは、今《いま》じゃない**」

未知人《みちと》は力強《ちからづよ》くいった。

すると、ミクニはふたたび泣《な》きだした。

だが、さっきまでのような悲愴感《ひそうかん》はない。

まるで、幼《おさな》い少女《しょうじょ》のように、無垢《むく》な泣《な》き声《ごえ》をあげていた。


「本当《ほんとう》にありがとう。あなたたちのおかげで、わたし、とてもすくわれたわ」

ミクニは泣《な》きやむと、未知人《みちと》たちに感謝《かんしゃ》した。

マコのスマホに親《おや》からの着信《ちゃくしん》があったため、ふたりはここでミクニとわかれた。

ふりむくと、ミクニはいつまでも笑顔《えがお》で手をふっていた。

気づくと、もう昼前《ひるまえ》になっていた。

「未知人《みちと》のわけわかんない知識《ちしき》が人だすけの役《やく》に立つとはね。でも八百比丘尼伝説《はっぴゃくびくにでんせつ》のあなたの考《かんが》えかた、わたし、感動《かんどう》しちゃった」

親《おや》たちと合流《ごうりゅう》する道《みち》すがら、マコはいった。

「わけわかんない、はないだろ」

「それに最後《さいご》の一言《ひとこと》！　『あなたがツバキを枯《か》らすのは、今《いま》じゃない』って、あれ、未《み》知人《ちと》のお父《とう》さんがしてくれた話《はなし》の応用《おうよう》でしょ？　未知人《みちと》、そんなキザなこといえたのね」

マコがニヤニヤしながらいう。

「からかうなよ！」

指摘《してき》されて恥《は》ずかしくなった未知人《みちと》は赤くなり、マコに抗議《こうぎ》しながら、そういえばミクニさんの背中《せなか》をもうひとおしした、とつぜん頭《あたま》にうかんできたことばは、どこからでてきたんだっけ、と考《かんが》えていた。

そしてすぐに思《おも》いだす。やっぱり父《ちち》の影響《えいきょう》は大きいらしい。

未知人《みちと》はよけいにてれくさくなって、走《はし》りだした。

「あっ、ちょっと～っ」

マコも未知人《みちと》を追《お》いかけた。

そのあと、家族《かぞく》と合流《ごうりゅう》して、みんなで入った定食屋《ていしょくや》。

お刺身定食《さしみていしょく》を見て豪《ごう》がいった「**人魚《にんぎょ》の肉《にく》がまじってたりしてな**」なんていう冗談《じょうだん》には、未知人《みちと》もマコも苦《にが》わらいするしかないのだった。

4

吸《きゅう》血《けつ》UMA《ユーマ》チュパカブラの謎《なぞ》

プエルトリコ（アメリカ合衆国《がっしゅうこく》）

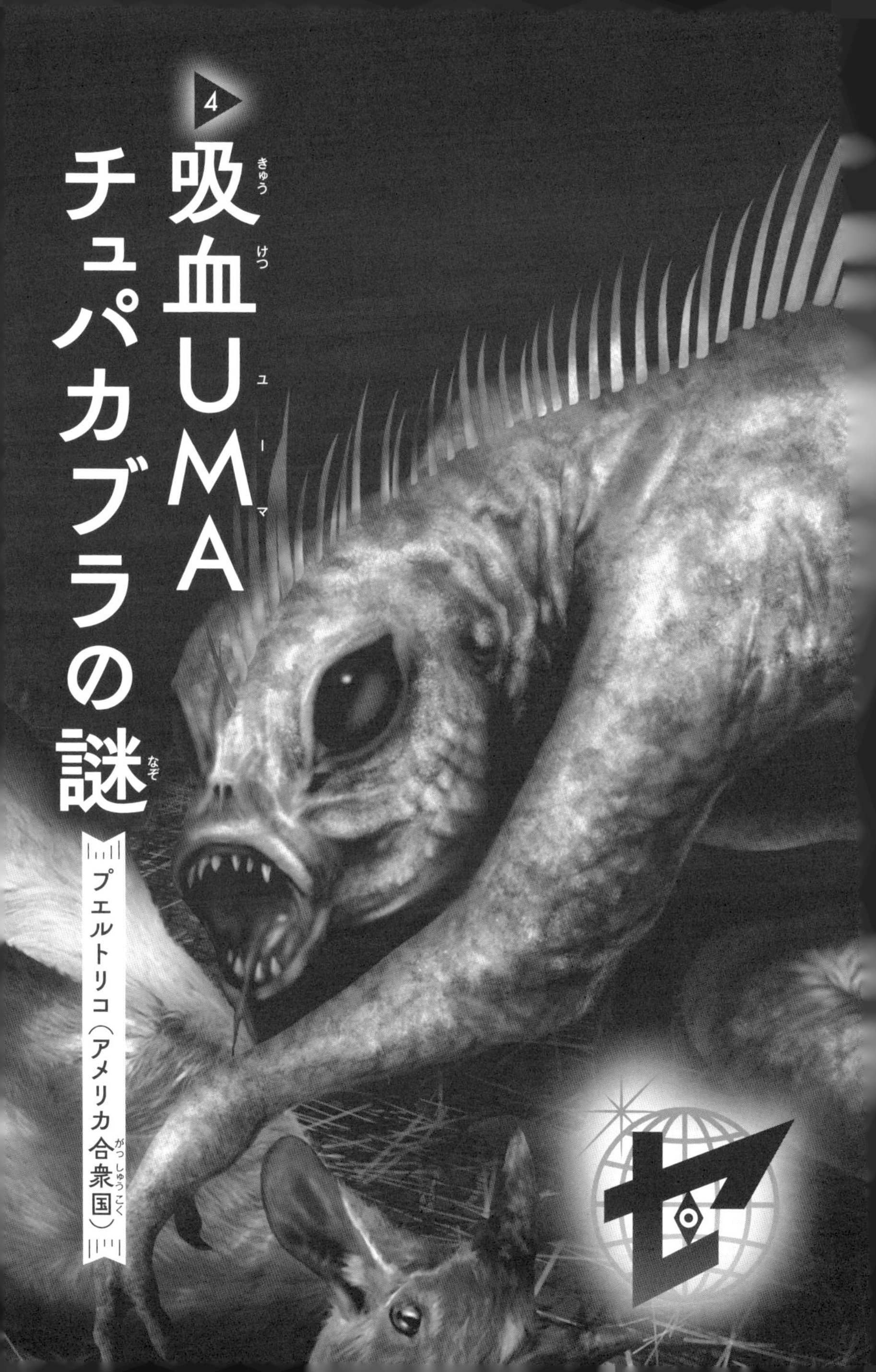

1995年、カリブ海《かい》にうかぶ島《しま》、**プエルトリコ**。

ある朝《あさ》、家畜農家《かちくのうか》の男は目をさますと、異変《いへん》を感《かん》じた。

いつもなら、けたたましくきこえるニワトリの鳴《な》き声《ごえ》が、まったくしない。

たくさん飼《か》っているニワトリが、今日《きょう》にかぎっていっせいに寝坊《ねぼう》するなんてこともあるまいし……男《おとこ》はふしぎに思《おも》いながら鳥小屋《とりごや》をのぞいてみる。

すると、目の前《まえ》には凄惨《せいさん》な光景《こうけい》がひろがっていた。

ニワトリが1羽《わ》ものこさず死《し》んでいたのだ。

「なんてこった。こりゃどういうわけだ⁉」

小屋《こや》に、はられた網《あみ》は、ひきちぎられたようなあなが開《あ》けられている。

男はとびらからなかに入ると、ひからびたように死《し》んでいるニワトリをまじまじと調《しら》べてみる。

すると、首《くび》すじのあたりに、動物《どうぶつ》のするどいキバに噛《か》まれたようなあとがあった。ニワトリは、このきずから血《ち》を吸《す》いつくされていたのだった。

「**吸血《きゅうけつ》動物《どうぶつ》**がでたってのか……？　いったい、どんな……」

男は、すぐに対策《たいさく》を練《ね》らなければならないと思《おも》いいたる。

この農場《のうじょう》では、ほかにもヤギを飼《か》っていた。

だが、吸血動物《きゅうけつどうぶつ》は、この場所《ばしょ》をおぼえてしまっている。

ヤギまでねらわれようものなら、農家《のうか》はやっていけなくなる。

そこで、ヤギ舎《しゃ》の入り口に監視《かんし》カメラをとりつけ、入り口のカギがしっかりとかかっていることを確認《かくにん》した。

そして、この日の晩《ばん》、つかれた体《からだ》にムチ打《う》って寝《ね》ずの番《ばん》をすることにした。

ところが、すっかり夜《よ》もくれたころ。

男は、ついまぶたが重《おも》たくなり、とうとうねむりに落《お》ちてしまう。

とはいっても、ほんの15分《ふん》くらいのものだ。

そのときである。

「ヴェーッ！　ヴェーッ！」

危機《きき》を知《し》らせるヤギたちの声《こえ》で、男はハッと目をさました。

男は、すぐさま尋常《じんじょう》ではないようすを感《かん》じ、身《み》をかくしていた草むらからでる。

見ると、入り口の金属製《きんぞくせい》のとびらはカギがひきちぎられ、ものすごい力でこわされていた。

あいては、おそろしい生き物《いきもの》のようだ。

男は、手近《てぢか》にあった牧草《ぼくそう》をあつめるためのフォークをにぎり、ヤギ舎《しゃ》に入っていく。そして、裸電球《はだかでんきゅう》のスイッチをON《オン》にした。

すると、うすぐらいなかに、見たこともないすがたの怪物《かいぶつ》がうかびあがった。

ヤギの首《くび》すじにかぶりつき、血《ち》をすすっている。

その大きな目は真《ま》っ赤《か》に光《ひか》っていた。

「オレのたいせつなヤギに、なにをするんだ！」

果敢《かかん》にも男はフォークをふりあげ、怪物《かいぶつ》にかかっていった。

すると、それに気づいた怪物《かいぶつ》もヤギをはなし、男に襲《おそ》いかかる。

怪物《かいぶつ》はすばやい動《うご》きでフォークをかわし、そのするどいツメで男のうでに、きずを負《お》わせた。

そして、そのままヤギ舎《しゃ》の外《そと》へとにげていったのだった。

ケガをした男は怪物《かいぶつ》を追《お》う気力などなく、その場《ば》にひざをつく。

目の前《まえ》に横《よこ》たわるヤギを見ると、血《ち》を吸《す》いつくされ、すでに息絶《いきた》えていた。

翌日《よくじつ》、この事件《じけん》は、またたく間《ま》にニュースとなった。監視《かんし》カメラに鮮明《せんめい》な映像《えいぞう》はうつっていなかったが、男の目撃情報《もくげきじょうほう》から、**背中《せなか》にトゲがはえ、ツメやキバがするどく、目の赤い怪物《かいぶつ》**だと伝《つた》えられた。

怪物《かいぶつ》は**「チュパカブラ**（ヤギの血《ち》を吸《す》う者《もの》）」と名づけられ、その後《ご》、世界《せかい》各地《かくち》で目撃《もくげき》されることとなった——。

「はい！ そんなわけで、プエルトリコをはじめ、チリ、メキシコ、アルゼンチンやアメリカにいたるまで目撃情報《もくげきじょうほう》が存在《そんざい》し、今回《こんかい》、わたしのほうにも新《あら》たな目撃情報《もくげきじょうほう》がよせられた、この超有名未確認生物《ちょうゆうめいみかくにんせいぶつ》チュパカブラ。その正体《しょうたい》は、**皮膚病《ひふびょう》を患《わずら》ったコヨーテ**だという説《せつ》がもっとも有力《ゆうりょく》なもようです！ それじゃあみなさん、いいねボタンとチャンネル登録《とうろく》をおして、また見に**来《こ》ヨーテ**！ ごきげんよう！」

滞在先《たいざいさき》のホテルで編集《へんしゅう》しおえたばかりの動画《どうが》を見かえしていた未知人《みちと》は、停止《ていし》ボタンをおす。

そして「はあ」とひとつためいきをついた。

あとは、これをオーチューブにアップロードするだけだ。そうすれば全世界《ぜんせかい》にこの動画《どうが》が配信《はいしん》される。

そこには広告《こうこく》がついて、それが父《ちち》・豪《ごう》の収入源《しゅうにゅうげん》となっているから、再生回数《さいせいかいすう》をふやすためにも、どんどんあたらしい動画《どうが》をあげていったほうがいい。

（そうは、いってもな……）

未知人《みちと》は今回《こんかい》の取材《しゅざい》と動画《どうが》のできばえに、いまいち物足《ものた》りなさを感《かん》じていた。

するとそこに、パジャマすがたの豪《ごう》がシャワールームからでてくる。

「お、もうおわったのか？　未知人《みちと》は、あい

かわらず仕事《しごと》がはやいなぁ」

「あのさ、父《とう》さん」

「ん？　なんだ？」

「本当《ほんとう》にこのまま、コヨーテが正体《しょうたい》っていう結論《けつろん》になるのかな」

「それじゃ不満《ふまん》か？」

「いや、そういうわけじゃないけど……」

「だったら未知人《みちと》ももうシャワーをあびて、はやくねたほうがいいんじゃないか。今日《きょう》は夜中《よなか》からオンライン授業《じゅぎょう》があるんだろ？」

「うん……」

今《いま》、ふたりがいるのはカリブ海《かい》の北東《ほくとう》にある**プエルトリコ**。

アメリカ合衆国《がっしゅうこく》の自治連邦区《じちれんぽうく》という位置《いち》づ

けだが、アメリカ大陸《たいりく》から遠《とお》くはなれた、いくつかの島《しま》によって構成《こうせい》されている地域《ちいき》だ。

日本《にほん》との時差《じさ》は13時間《じかん》で、ほぼ半日《はんにち》ちがう。

つまりプエルトリコが夜中《よなか》であれば、日本《にほん》は昼《ひる》ということになる。

オンライン授業《じゅぎょう》は動画《どうが》ものこるので、あとからでも見られるのだが、リアルタイムで見なければいけない理由《りゆう》があった。

そうでないと、出席《しゅっせき》あつかいにならないのだ。

オンライン授業《じゅぎょう》はこちらの顔《かお》も教室《きょうしつ》のモニターにうつるため、ちゃんと参加《さんか》しているかどうかがわかってしまう。

「出席日数《しゅっせきにっすう》が足《た》りないと留年《りゅうねん》しちゃうわよ。いやだからね、わたしが未知人《みちと》の先輩《せんぱい》になるなんて」とマコからは、さんざんいわれている。

だが、世界《せかい》をとびまわっている未知人《みちと》は、たびたびオンライン授業《じゅぎょう》を休んでしまう。

そのため、じつはこのままのペースだと、進級《しんきゅう》できるかどうかがギリギリなのだ。

ところがこの日、未知人《みちと》が授業《じゅぎょう》をリアルタイムでうけることは叶《かな》わなかった。

ピリリリリ、ピリリリリリ

未知人《みちと》の就寝中《しゅうしんちゅう》に、豪《ごう》の電話《でんわ》がなった。

その音で目ざめてしまった未知人《みちと》。

ねむい目をこすりながら身《み》をおこすと、なにやら豪《ごう》がバタバタしている。

「どうしたんだよ……」

「昼間《ひるま》に取材《しゅざい》したホワンさんから連絡《れんらく》が入った。**チュパカブラがでた**って。しかもな、**2足歩行《そくほこう》**だっていうんだ」

「なんだって!?」

未知人《みちと》は、はじかれたようにベッドからとびだす。

ホワンさんというのは、豪《ごう》にチュパカブラの目撃情報《もくげきじょうほう》をよせてくれた家畜農家《かちくのうか》の男性《だんせい》である。最近《さいきん》、この人の飼育《しいく》するヤギが被害《ひがい》をうけたのだ。

「いや、オレは今《いま》からいってくるが、未知人《みちと》はいいぞ。もうすぐ授業《じゅぎょう》がはじまるだろ？」

「それどころじゃない！」

未知人《みちと》はすぐにしたくをすませ、豪《ごう》とともにホテルをあとにした。

「本当《ほんとう》に『2足歩行《そくほこう》』なのか……?」

ホワンさん宅《たく》にむかうレンタカーのなか、助手席《じょしゅせき》にすわる未知人《みちと》がつぶやく。

すると、運転《うんてん》している豪《ごう》がこたえる。

「ああ、そういっていた。じっさいに見たのはホワンさんのお父《とう》さんらしいんだが……」

はじめてチュパカブラの目撃報告《もくげきほうこく》があったのは、1995年2月ごろ。ここ、プエルトリコだった。

UMA《ユーマ》(未確認生物《みかくにんせいぶつ》)のなかでは新《あたら》しい部類《ぶるい》といえるだろう。

また、目撃情報《もくげきじょうほう》はおおく、そしてひろい範囲《はんい》にわたっている。

そのため、研究《けんきゅう》もほかより急速《きゅうそく》にすすめられてきた。

その結果《けっか》、現在《げんざい》もっとも有力《ゆうりょく》なのが、できあがったばかりの豪《ごう》の動画《どうが》でもいっていたように、**皮膚病《ひふびょう》にかかった野生《やせい》のコヨーテが正体《しょうたい》**だとする説《せつ》なのだ。

だが、ここで見のがせない点《てん》があることに未知人《みちと》は気づいていた。

それは時《とき》が経《た》つにつれて「発見当時《はっけんとうじ》に目撃《もくげき》されたチュパカブラの特徴《とくちょう》が、どんどんうしなわれていった」という事実《じじつ》である。

発見《はっけん》されたばかりのころは、チュパカブラのすがたは**緑色《みどりいろ》の毛《け》**におおわれ、**背中《せなか》に何《なん》本《ぼん》ものトゲ**があり、**大きな赤い目**が特徴《とくちょう》の**2足歩行《そくほこう》**が可能《かのう》な怪物《かいぶつ》、というものだった。

だが、それが年を経《へ》るごとに、**4足歩行《そくほこう》**の犬のようなすがたの報告《ほうこく》がふえていく。

そして2000年代《ねんだい》になると、さもとうぜんであるかのように、犬タイプの報告《ほうこく》で占《し》められるようになった。

ふつう、UMA《ユーマ》の目撃情報《もくげきじょうほう》は、どんどん話《はなし》に尾《お》ヒレがついて、盛《も》られていくものだ。

だが、チュパカブラについては、その**逆《ぎゃく》**をいっているのである。

このパターンはめずらしい。そこに未知人《みちと》は違和感《いわかん》をもっていた。

どこか結論《けつろん》ありきのような、何者《なにもの》かの作為《さくい》を感《かん》じる。

本物《ほんもの》のチュパカブラの存在《そんざい》を、世間《せけん》の目からそらそうとする意志《いし》のようなものだ。

「……父《とう》さん。UMA《ユーマ》のうわさや目撃情報《もくげきじょうほう》が、人間《にんげん》の想像《そうぞう》しやすいリアリティに寄《よ》っていくと、どんなことがおこるんだろう」

未知人《みちと》がたずねると、豪《ごう》は片手《かたて》をハンドルからはなし、鼻《はな》の頭《あたま》をポリポリかきながらすこし考《かんが》えるしぐさを見せた。

「人間《にんげん》の立場《たちば》からしたら、安心《あんしん》できるからうれしいってところじゃないか。なんだかよくわからない未知《みち》の生《い》き物《もの》が家畜《かちく》や人間《にんげん》を襲《おそ》っていると考《かんが》えるのはおそろしいことだろ。でも正体《しょうたい》が身近《みぢか》なものになれば気休めにもなるし、対策《たいさく》もたてられる」

「UMA《ユーマ》の立場《たちば》にとってよいことは?」

「なるほど……おもしろい視点《してん》だ。その場合《ばあい》はおそらく、自分《じぶん》たちの正体《しょうたい》を人間《にんげん》の目から遠《とお》ざけられるということだな」

「もしそうだとすると、その生《い》き物《もの》はかなりレベルの高《たか》い知的生命体《ちてきせいめいたい》だ」

チュパカブラは宇宙人《うちゅうじん》や、宇宙人《うちゅうじん》がつくった生《い》き物《もの》であるとする説《せつ》も存在《そんざい》する。

その理由《りゆう》としては、初期《しょき》の目撃情報《もくげきじょうほう》が、いわゆるグレイ型《がた》の宇宙人《うちゅうじん》に似《に》ているということがひとつ。

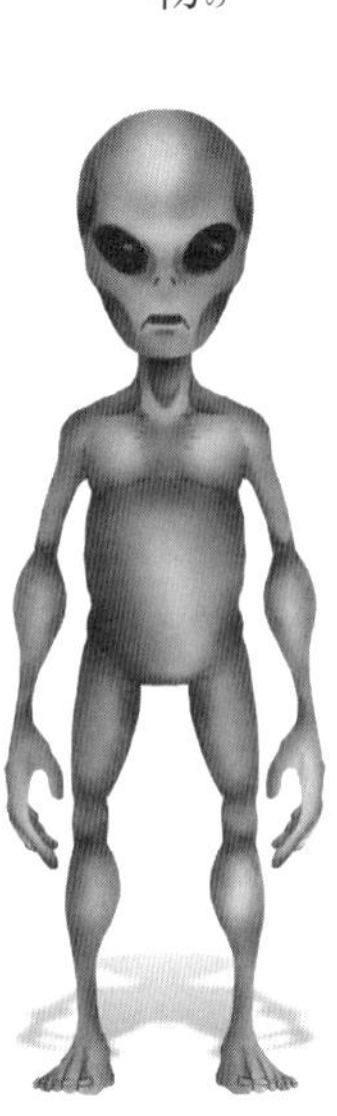

◀グレイ型《がた》宇《う》宙人《ちゅうじん》

そして、チュパカブラの目撃《もくげき》された場所《ばしょ》が、UFO《ユーフォー》の目撃報告《もくげきほうこく》もおおい地域《ちいき》であるというのもひとつ。

だがじっさいのところ、現在《げんざい》、この説《せつ》はあまり支持《しじ》されていない。

豪《ごう》は、未知人《みちと》が考《かんが》えていることを察《さっ》したようだった。

そしてそのうえで、くぎを刺《さ》すようにいった。

「未知人《みちと》。あまり視野《しや》をせまくするなよ。そうでなければ、おまえも結論《けつろん》ありきになってしまうぞ」

「わかってる。ただ、あらゆる可能性《かのうせい》はゼロにならないかぎり、消《き》えることがないと思《おも》ってるだけさ」

未知人《みちと》がそういうと、夜《よる》の田舎道《いなかみち》を走《はし》る車《くるま》のなかは、目撃者《もくげきしゃ》の家《いえ》につくまで沈黙《ちんもく》で満《み》たされた。

「どうぞ、こちらです」

案内《あんない》されたのは、ホワンさんがいとなむ牧場《ぼくじょう》のヤギ舎《しゃ》だった。

そこには、ホワンさんの父《ちち》、イバンさんもまっていた。

イバンさんは、興奮《こうふん》ぎみに顔《かお》を赤らめて近《ちか》づいてくる。

「やっときたか！」

「オーチューブという動画配信《どうがはいしん》サイトでミステリー・ガイドをしております、ゴウ・セカイです。状況《じょうきょう》をおしえていただけますか」

ていねいにあいさつしたあと、さっそく豪《ごう》は、本題《ほんだい》に入る。

プエルトリコでは主《おも》にスペイン語《ご》が話《はな》されている。が、アメリカの自治区《じちく》ということもあり、幸《さいわ》いこの親子《おやこ》には英語《えいご》もつうじたため、会話《かいわ》の内容《ないよう》は未知人《みちと》にも理解《りかい》できた。

そして、イバンさんは年齢《ねんれい》のわりに、はっきりした口調《くちょう》で質問《しつもん》にこたえた。

「今夜《こんや》あたり子を産《う》みそうなヤギがいたから、家《いえ》で食事《しょくじ》をしたあと、こっちにきたんだ。そうしたら、みょうな気配《けはい》がするもんでな。**なかを見てみたらヤツがいたんだ**」

「そのときは、イバンさんおひとりで？」

「ああ。いよいよ産気《さんけ》づくころになったら、ホワンをよぶつもりだった」

「2足歩行《そくほこう》だったというのは本当《ほんとう》なんですか」

未知人《みちと》が話《はなし》にわって入る。

するとイバンさんはすこしムッとしたような顔《かお》つきを見せた。

「見まちがえるほどワシは耄碌《もうろく》しとらん。たしかに2本の足で走《はし》ってにげていきおった」

「よかった。襲《おそ》ってはこなかったんですね。それで、ヤギは?」

「ぶじだった。とにかく見たんだ。こっちに気づいたときにむけてきた大きくて真《ま》っ赤《か》な目。背中《せなか》に何本《なんぼん》もはえたトゲ。だからワシはヤツがチュパカブラだと確信《かくしん》したんだ」

すると、こんどはホワンさんが口をはさむ。

「今時《いまどき》そんなバケモノを信《しん》じるやつなんていないって。オレが見たときも犬みたいな4足《そく》で走《はし》るやつだったし。それに親父《おやじ》のやつ、だいぶ目もわるくなってるもんで」

「なんだと⁉　いくらなんでも2足《そく》か4足《そく》かくらいは見わけられるぞ！　老人《ろうじん》あつかいするんじゃない！」

「こんな調子《ちょうし》で、たしかに見たってきかなくて。でもアンタたちなら話《はな》しあいてに最適《さいてき》だろうと思《おも》ってさ。夜《よる》でわるいけど連絡《れんらく》したってわけなんだ」

ホワンさんは、まったくわるびれているようすもない。

ようするに、父親《ちちおや》とはいえ老人《ろうじん》の妄言《もうげん》につきあうのがバカバカしくて豪《ごう》をよんだのだ。

「だいじょうぶですよ。オレは信《しん》じています」

未知人《みちと》はイバンさんの目を見ていう。

すると、いくらか怒《いか》りもおさまったのか、イバンさんの表情《ひょうじょう》からは興奮《こうふん》の色《いろ》が消《き》えていった。

「それじゃあ、ヤギの出産準備《しゅっさんじゅんび》のためにオレはいったん家《いえ》にもどるんで、あとは親父《おやじ》から話《はなし》をきいてください。バケモノ対策《たいさく》もしなきゃいけないですから。4足《そく》のほうのね」

そういうと、ホワンさんはそっ気なくヤギ舎《しゃ》をでていった。

「フン……そっちは**チュパカブラじゃない**といってるだろうが」

「すこし、周辺《しゅうへん》を調査《ちょうさ》してもよろしいですか？」

「ああ、かまわんよ。ただ、ヤギ舎《しゃ》のなかは、ホワンのバカが足あとやらなにやらキレイにそうじしちまったから、なんにもでてこんと思《おも》うがね」

「そうですか……」

豪《ごう》は、ざんねんそうにいった。

足あとでなくとも、毛《け》や唾液《だえき》などが見《み》つかれば重要《じゅうよう》な証拠《しょうこ》になったかもしれないのだ。

未知人《みちと》と豪《ごう》はヤギ舎《しゃ》の外《そと》もしらべてみる。

しかし夜《よる》の闇《やみ》に懐中電灯《かいちゅうでんとう》をあてたくらいでは、なにも得《え》ることはできなかった。

「イバンさんは、一般的《いっぱんてき》にいわれているような4足《そく》の獣《けもの》とはべつに、本当《ほんとう》のチュパカブラがいると考《かんが》えているのですね？」

ヤギ舎《しゃ》のなかにもどると、気をとりなおして豪《ごう》がふたたびたずねる。

すると、イバンさんは小《ちい》さなイスを3つだしてきて、豪《ごう》と未知人《みちと》にもすわるよううながした。そのそぶりはぶっきらぼうだが、やさしさが感《かん》じられる。

「ワシがヤツを見たのは、これで2回目《かいめ》だ」

「そうなんですか!?」

豪《ごう》も未知人《みちと》もおどろいた。

だが、イバンさんは、こともなげに淡々《たんたん》とつづけた。

「1度目《どめ》に見たのは、もう20年以上前《いじょうまえ》のことだ。当時《とうじ》は、おなじような目撃情報《もくげきじょうほう》もおおくてな。ニュースでとりあげられたこともあった」

皮膚病《ひふびょう》にかかったコヨーテ▶

「バケモノのすがたをしているほうということですよね？」

未知人《みちと》がたずねると、イバンさんは胸《むね》をはってこたえる。

「もちろん。だが、南米《なんべい》やアメリカ本土《ほんど》でも目撃例《もくげきれい》がでるようになると、だんだん報告《ほうこく》されるすがたが、犬のようなものに変《か》わっていった」

「**皮膚病《ひふびょう》にかかったコヨーテ**が正体《しょうたい》だとする説《せつ》があるのは、ご存《ぞん》じですか？」

「ああ、知《し》ってるさ。病気《びょうき》になったコヨーテは毛《け》がぬけ落《お》ち、肌《はだ》にシワがよってバケモノじみたおそろしいすがたになるからな」

「重症化《じゅうしょうか》して弱《よわ》ってしまうと、野生動物《やせいどうぶつ》を狩《か》ることもできませんから、家畜《かちく》をおそうこともある。そして、ときには人間《にんげん》も」

「わかっとる。ホワンが見《み》たとおまえさんたちにいったのもふくめて、目撃情報《もくげきじょうほう》のほとんどは、それが真相《しんそう》かもしれん。だがワシは、4足《そく》のやつはチュパカブラじゃない、それとはべつに怪物《かいぶつ》がいるといったんだ。ところがいつしか、ワシの主張《しゅちょう》のほうが、わらい者《もの》にされるようになった」

「なるほど……」

未知人《みちと》は眉間《みけん》にしわをよせ、考《かんが》えた。

イバンさんのいうことが本当《ほんとう》なら、やはり何者《なにもの》かの作為《さくい》を感《かん》じる。

もしかしたら、このUMA《ユーマ》には、とんでもない真相《しんそう》がかくされているのかもしれない。

すくなくとも、現時点《げんじてん》でその可能性《かのうせい》はゼロではない。

むしろ話《はなし》をきいたことによって、真実味《しんじつみ》は増《ま》したように思《おも》える。

するとそのとき。

「ヴェーッ！　ヴェーッ！」

ヤギの鳴《な》き声《ごえ》が、ひびきわたった。

「おっと。母《はは》ヤギが産気《さんけ》づいたようだ。おい、ゴウにミチト。おまえたち、手つだえ。ミチトにはちょいときついだろうが、いうとおりに動《うご》けばいい。まずはホワンに電話《でんわ》だ。そのあとはワシのそばにいろ」

イバンさんがすくっと立ちあがり、準備《じゅんび》をしながら指示《しじ》をした。

「出産《しゅっさん》を!?」

「ええっ、オレも手つだうんですか!?」

「はやくしろ!」

うろたえる未知人《みちと》と父《ちち》・豪《ごう》だったが、有無《うむ》をいわさない勢《いきお》いでどなりつけられ、おそるおそるイバンさんにいわれたとおりの行動《こうどう》をする。

未知人《みちと》はすぐにホワンさんに連絡《れんらく》して、そのあとは沸《わ》かした湯《ゆ》をもっていったり、タオルをわたしたり、右に左にかけまわることとなった。


「はぁぁぁぁ……つかれたぁぁぁぁ……」

帰《かえ》りの車中《しゃちゅう》、運転《うんてん》しながら豪《ごう》は、何度《なんど》もためいきをついていた。

今《いま》はまだ空がくらいものの、朝《あさ》になるのも近《ちか》い。

助手席《じょしゅせき》にすわる未知人《みちと》も全身《ぜんしん》の疲労感《ひろうかん》と、猛烈《もうれつ》な眠気《ねむけ》におそわれ、しゃべる気力さえうしなっていた。

はじめて目《ま》のあたりにした生命《せいめい》の誕生《たんじょう》。しかし、それは字面以上《じづらいじょう》に凄絶《せいぜつ》なものだった。

車内《しゃない》はふたりの体《からだ》にしみついた、血《ち》と汗《あせ》のまざったような生臭《なまぐさ》いにおいに満《み》ちている。

シャツは汗《あせ》で肌《はだ》にはりつき、ベタベタとした感触《かんしょく》が気持《きも》ちわるい。

それでも、イバンさんによると今回《こんかい》は安産《あんざん》だったようなので、出産《しゅっさん》というのは大変《たいへん》なものだと思《おも》い知《し》らされた。

そして、生まれてきた子ヤギがゆっくりと立ちあがり、母《はは》ヤギの乳《ちち》を飲《の》みはじめると、未知人《みちと》はえもいわれぬ感動《かんどう》に心《こころ》がふるえた。

そして同時《どうじ》に、自分《じぶん》の母《はは》にたいするなつかしさもわきおこってきた。

母《はは》は今《いま》、どこでなにをしているのだろう。

無事《ぶじ》なのだろうか。

そして自分《じぶん》とおなじように、母《はは》も自分《じぶん》のことを想《おも》ってくれているだろうか。

そんなことを考《かんが》えていると、まどの外《そと》、草むらの中にふたつの赤い光《ひかり》を見た気がした。

「父《とう》さん、車をとめてくれ」

「ん？　なんだ？　おしっこか？」

豪《ごう》が反射的《はんしゃてき》にブレーキをふむ。未知人《みちと》はいきおいよくドアを開《あ》け、外《そと》にとびだした。

そして左右を見まわす。
暗闇《くらやみ》と、草原《そうげん》がひろがっているばかりの景色《けしき》。
さっきの赤い光《ひかり》は、コヨーテのものだろうか、チュパカブラだろうか。
それともただの見まちがいだろうか。

カサカサッ――

おそらく、ふつうの人にはきこえないだろう、草を擦《こす》るわずかな音がきこえた。
未知人《みちと》は音のきこえたほうをむく。
(目だ！　でも……赤くはない……？)
あの目の光《ひかり》の色《いろ》と大きさは、おそらくコヨーテだろう。
こちらのようすをうかがうように、ジワジワと近《ちか》づいてくる。
と思《おも》った瞬間《しゅんかん》、未知人《みちと》にむかって一気に走《はし》りだした。
(しまった、おそってくる気か！)
だが疲労《ひろう》のピークをむかえた未知人《みちと》の体《からだ》は反応《はんのう》できず、立ちつくすことしかできない。

コヨーテは一直線《いっちょくせん》にとびかかってくる。
そのようすがスローモーションのように見えているのに、動《うご》けない。

「――ッ！」

（声《こえ》がでない⁉）

毛《け》がぬけ落《お》ち、醜《みにく》い肌《はだ》をさらしている4足獣《そくじゅう》。

こいつも皮膚病《ひふびょう》にかかり、家畜《かちく》や人間《にんげん》をおそうようになってしまったのだろう。

（どうやってきりぬける……⁉）

そんな思考《しこう》が脳裏《のうり》をよぎったそのとき、すごいはやさでべつの生《い》き物《もの》が未知人《みちと》の視界《しかい》にわって入り、コヨーテをするどいツメのある手でつかんだ。

そして、そのまま遠《とお》くへ走《はし》り去《さ》っていってしまった。

（あれは……！）

未知人《みちと》の目はたしかにとらえていた。

その生《い》き物《もの》の、真《ま》っ赤《か》に光《ひか》る大きな目を。

そして去《さ》るときに見せた背《せ》に生《は》える何本《なんぼん》ものトゲを。

なにより、2本足で立ち、そしてかけていったそのすがたを。

あれこそが、イバンさんも見たという本物《ほんもの》のチュパカブラだ。

そのとき、緊張《きんちょう》の糸がプツリときれたのを感《かん》じた。

「おい、未知人《みちと》！　だいじょうぶか⁉」

異変《いへん》に気づいた豪《ごう》が車からかけつけ、意識《いしき》が朦朧《もうろう》としている未知人《みちと》を抱《かか》える。

だが、未知人《みちと》はそのまま深《ふか》いねむりについてしまった――。


「おお、やっとおきたか」

未知人《みちと》が目をさますと、そこは宿泊《しゅくはく》していたホテルのベッドだった。時刻《じこく》はもう午後《ごご》1時《じ》をまわっている。ずいぶん長《なが》いことねむっていたようだ。

「おしっこにしちゃ、なかなか車にもどってこないもんだから、むかえにいったんだよ。そうしたら、おまえ、きゅうにねむりだすんだもんなあ。オレ、心配《しんぱい》したぞ」

（そうか。あのままねむってしまったのか……）

未知人《みちと》は昨日《きのう》の帰《かえ》りにおきたことを思《おも》いだそうとする。

しかし、あのときのことが現実《げんじつ》だったのか夢《ゆめ》だったのかがはっきりしない。

たしかに見た。だけど――。

「そうだ。昨日《きのう》編集《へんしゅう》までおわった動画《どうが》だけどな。アップロードする前《まえ》にちょっとオレの最後《さいご》のコメント、撮《と》りなおさせてくれ。イバンさんの話《はなし》もきけたから、おまえの考《かんが》えもとり入れることにするよ」

「オレの？」

「チュパカブラの正体《しょうたい》はコヨーテだってきめつけるより、宇宙人《うちゅうじん》がつくった生《い》き物《もの》の可《か》能性《のうせい》もあるっていったほうが、このネタもひっぱれるし、番組的《ばんぐみてき》にもりあがるだろ」

豪《ごう》は、そういってわらった。

そう、もし未知人《みちと》の遭遇《そうぐう》したできごとが現実《げんじつ》で、本物《ほんもの》のチュパカブラの存在《そんざい》をかくしたい何者《なにもの》かが目撃情報《もくげきじょうほう》を操作《そうさ》していたのだとしたら……。

だがすぐに、未知人《みちと》の思考《しこう》は現実《げんじつ》にひきもどされる。

スマホを見ると、マコからのメッセージの通知《つうち》が何件《なんけん》もあった。

『今日《きょう》の授業《じゅぎょう》、いなかったでしょ。いくら外国《がいこく》にいるからって、ちゃんと出席《しゅっせき》しないと留年《りゅうねん》するわよ！』

オンライン授業《じゅぎょう》の存在《そんざい》を思《おも》いだし、未知人《みちと》はゲッソリとするのだった。

5 呪《のろ》いの森《もり》 ホィア・バキュー・フォレスト

ルーマニア

そこは、なんのへんてつもない森だった。

東《ひがし》ヨーロッパ、バルカン半島《はんとう》に位置《いち》する**ルーマニア**でのできごとである。

この日、なぜか200頭《とう》のヒツジたちがぞろぞろと、まるですいよせられるかのように森のなかへと入っていった。

そこで、しかたなくヒツジ飼《か》いの男はついてきたのだ。

ふだん、ここに足をふみ入れる者《もの》はすくない。

この男も森のなかに入るのは、はじめてだ。

「森に入ってはいけないよ。そこには悪魔《あくま》がいるから」

死《し》んだ祖母《そぼ》がいっていたのを思《おも》いだす。

こういう人目につかない場所《ばしょ》には、罪人《ざいにん》や悪人《あくにん》が、身《み》をかくしているかもしれない。

だから、大人《おとな》は子どもにわかりやすく「悪魔《あくま》」といって警告《けいこく》したのだろう。

「なんだってんだ、まったく……」

男は、悪態《あくたい》をつきながらも歩《ある》きつづけた。

ヒツジたちは、列《れつ》をなして森のおくへ、おくへと行進《こうしん》していく。

すると、さっきまではあかるかった森に、だんだん霧《きり》がでてきた。

景色《けしき》が、しだいに白くおおわれていく。

ヒツジを見うしなうわけにはいかない。

男は、あせった。

そのとき、霧《きり》のなかから、クスクスとわらい声《ごえ》がきこえてくる。

それもひとりではなく、何人《なんにん》もの声《こえ》だ。

「……だれかいるのか？　ううっ！」

とつぜん、頭痛《ずつう》が男をおそった。

万力《まんりき》でしめつけてくるような、はげしい痛《いた》みだ。

男はたえられず、その場《ば》にひざをついてうずくまる。

霧《きり》はさらに濃《こ》くなっていき、のばした手の先も見えなくなっている。

そしてしばらく経《た》ち、霧《きり》が晴《は》れると、そこに男のすがたはなくなっていた。

その日を境《さかい》に、ヒツジ飼《か》いの男と、飼《か》っていた200頭《とう》のヒツジを見た者《もの》はだれもいない。

「はいっ、今回《こんかい》は、なんと**ルーマニア**にきております！　かくいうわたしもカレーには目がないほうで、とくに**カレーのルー**にはこだわります。そう、つまり、わたしも**ルー・マニア！**　というわけで、はじめてまいりましょう！」

三脚《さんきゃく》に設置《せっち》したカメラの前《まえ》で、ハイテンションにしゃべっているのは、人気オーチューバー、世開《せかい》豪《ごう》だ。

未知人《みちと》は、その画面《がめん》にうつらない場所《ばしょ》にいた。

そして、父《ちち》・豪《ごう》の撮影《さつえい》がおわったのを察《さっ》すると、読《よ》んでいた本をしずかにとじた。

ふたりがこれからむかおうとしている場所《ばしょ》の伝説《でんせつ》について書《か》かれた本だ。

ヒツジ飼《か》いにおこったできごとは、たしかにおそろしい。

しかし、未知人《みちと》は内心《ないしん》では胸《むね》が高鳴《たかな》っていた。

「よし、それじゃあ移動《いどう》するぞ。三脚《さんきゃく》をかたづけてくれ」

導入《どうにゅう》の撮影《さつえい》をおえた豪《ごう》が、未知人《みちと》に指示《しじ》する。未知人《みちと》もなれた手つきで行動《こうどう》する。

「ねえ……」

「ん？　なんだ？」

「母《かあ》さんの失踪《しっそう》とは、むすびつくのかな」

「……そうだといいな」

撮影《さつえい》のときとは打《う》って変《か》わって、豪《ごう》は、まじめな顔《かお》つきになった。

「これからいく『呪《のろ》いの森　ホィア・バキュー・フォレスト』にも未確認飛行物体《みかくにんひこうぶったい》……UFO《ユーフォー》の目撃情報《もくげきじょうほう》があるんだろ？　それに、人が不可解《ふかかい》な失踪《しっそう》をした例《れい》もあるって」

「ああ。そうだ」

「母《かあ》さんをさらった犯人《はんにん》が、ここにあらわれているのかもしれない」

「そうかもしれないし、そうじゃないかもしれない。だけど、くれぐれも勝手《かって》な行動《こうどう》はするなよ。危険《きけん》な目にあうかもしれないからな。ここの『呪《のろ》い』はおそろしいぞ。じっさいに、日本《にほん》のバラエティ番組《ばんぐみ》でやってきたタレントが、原因不明《げんいんふめい》の体調不良《たいちょうふりょう》をおこして、撮影《さつえい》が中止《ちゅうし》になったという話《はなし》もある」

「わかってるって」

「よし。だったらさっそく仕事《しごと》だ。いい感《かん》じの『呪《のろ》い』がおこればいいんだが」

おそろしいといいながら「呪《のろ》い」がおきろとは矛盾《むじゅん》している、と未知人《みちと》はあきれた。

だが、未知人自身《みちとじしん》、本音をいえば同感《どうかん》なので、父《ちち》にはなにもいいかえさない。

ここの「呪《のろ》い」が本物《ほんもの》であれば、消《き》えた母《はは》につながる手がかりも得《え》られるかもしれないのだ。

遠《とお》くの視界《しかい》いっぱいに青々《あおあお》とひろがる、不気味《ぶきみ》な伝説《でんせつ》をもった森。

しかし、未知人《みちと》にとっては、すこし期待《きたい》を感《かん》じさせる景色《けしき》に思《おも》えた。

そうしてふたりは、砂利道《じゃりみち》をすすんでいった。


ホィア・バキュー・フォレストは、**クルージ・ナポカ**という町から、すこしはなれた農村部《のうそんぶ》の山にある。

しかし森を散策《さんさく》しはじめてしばらくたつと、未知人《みちと》はすこし拍子《ひょうし》ぬけしていた。

「呪《のろ》いの森」といっても、昼間《ひるま》の太陽《たいよう》の日ざしでなかはあかるく、どこもおかしなところなどない。

日本《にほん》でも見られるような、ごくふつうの森なのだ。

蚊《か》がおおいのはうっとうしいが、とくに恐怖《きょうふ》も感《かん》じない。

とちゅう、英語《えいご》を話《はな》す観光客《かんこうきゃく》グループも見かけた。

地元《じもと》の住人《じゅうにん》ならルーマニア語《ご》を話《はな》すので、観光客《かんこうきゃく》だとすぐわかる。

ここは「呪《のろ》い」のおかげで、世界的《せかいてき》に有名《ゆうめい》な観光地《かんこうち》になっているのだ。

「それにしても、マナーがわるいな……」

キャンプしている観光客《かんこうきゃく》グループのひとりが、ペットボトルの水を飲《の》みほすと、そのまま森にポイすてした。

見かねた豪《ごう》はそれをひろいにいき、英語《えいご》で「ゴミはもって帰《かえ》りましょうよ」と注意《ちゅうい》する。

すると観光客《かんこうきゃく》はふりかえり、ふきげんな顔《かお》を豪《ごう》にむけ、きたないことばで罵《ののし》ってきた。

「この調子《ちょうし》だと、今回《こんかい》の撮《と》れ高《だか》が心配《しんぱい》だなぁ」

「ひさしぶりに、スポンサーさんからの依頼《いらい》だってよろこんでたのにね」

「そうなんだよぉ。なんにもありませんでした、じゃあすまないよなぁ」

スポンサーさんは、どうやらとてつもない大富豪《だいふごう》のようなのだが、未知人《みちと》はくわしく知《し》らない。

ホィア・バキュー・フォレスト「呪《のろ》いの森」の昼間《ひるま》のようす

道楽《どうらく》なのか仕事《しごと》なのかはわからないが、たびたび、豪《ごう》にミステリースポットや未確認《みかくにん》生物《せいぶつ》の調査《ちょうさ》を依頼《いらい》してくる。

もちろん、今回《こんかい》の旅《たび》も超豪華《ちょうごうか》な待遇《たいぐう》でだ。

そのとき、未知人《みちと》は首《くび》すじにピリッとわずかな痛《いた》みをおぼえた。

そして痛《いた》みは、だんだんと、かゆみに変《か》わる。

「父《とう》さん。ちょっとここ、見てくれない？」

「うん？　あー、あさい切《き》りキズだな。やぶのはっぱとか、木の枝《えだ》とかで、切《き》ったんじゃないか？　血《ち》もでていないし、ほっとけばなおるだろう。かいちゃダメだぞ」

「やぶのなかなんて入ってないし、木にも近《ちか》づいてないんだけどな……」

未知人《みちと》がふしぎに思《おも》っていると、さっきまで読《よ》んでいた本に書《か》かれていた文章《ぶんしょう》が頭《あたま》をよぎった。

『この森では、ここにいる何者《なにもの》かに肌《はだ》をきずつけられる』

ホィア・バキュー・フォレストのいくつもある伝説《でんせつ》のうちのひとつだ。

とたんに、いやな感《かん》じがこみあげてくる。

すると、こんどは豪《ごう》が、ハッとして木々《きぎ》のむこうをふりかえった。

「どうしたの」

「いや……なんだか、だれかに見られていたような気がしたんだ」

『だれもいないはずなのに視線《しせん》を感《かん》じる』というのも、この森ではよくある現象《げんしょう》として知《し》られている。

ほかにも、幽霊《ゆうれい》の目撃情報《もくげきじょうほう》、電子機器《でんしきき》の故障《こしょう》、どこからか石がとんでくるなど、いろいろなことがおこるらしい。

森の空気が変《か》わった……。

ふたりは警戒心《けいかいしん》を高《たか》める。

「……とりあえず、おくへすすもう。もうすこしで、今日《きょう》の目的《もくてき》地《ち》につくはずだ」

「わかった」

豪《ごう》にうながされ、未知人《みちと》はそれにしたがった。


木々《きぎ》のあいだをぬけると、とつじょ、開《ひら》けた空《あ》き地《ち》のような場所《ばしょ》にでた。

なぜこのあたり一帯《いったい》だけ、木がないのだろうか。


その理由《りゆう》は、専門家《せんもんか》にもまだ解明《かいめい》できていないという。

「ここでよく、ＵＦＯ《ユーフォー》が目撃《もくげき》されているらしい」

「着陸《ちゃくりく》するための場所《ばしょ》なのかな」

「そうかもしれないな。それじゃ未知人《みちと》、撮影《さつえい》をはじめるぞ」

未知人《みちと》は、かついでいた三脚《さんきゃく》を立てて、父《ちち》からうけとったカメラを設置《せっち》する。

「ちょっと長《なが》まわしするから、目のとどく範囲《はんい》だったら、あそんでていいぞ。ただし、

▶ホィア・バキュー・フォレストの上空《じょうくう》から撮影《さつえい》

◀ホィア・バキュー・フォレスト上空《じょうくう》にあらわれたUFO《ユーフォー》

なにかあったら大声《おおごえ》でオレをよぶんだ」

「わかった。UFO《ユーフォー》の痕跡《こんせき》がないか、そのへんをしらべてみる」

そういって、未知人《みちと》は、あたりを見まわした。

すると、すこしはなれたところに先客《せんきゃく》がいた。

森のなかを歩《ある》くにはどう考《かんが》えても不向《ふむ》きな、ヒラヒラとしたレースいっぱいのゴスロリドレスすがたの女の子――アンナだ。

近《ちか》くには、カメラをまわすアンナの執事《しつじ》、アーサーもいる。

「**科学絶対主義**《かがくぜったいしゅぎ》のわたしにかかれば、かんたんね！　以上《いじょう》、証明終了《しょうめいしゅうりょう》！」

アンナが、カメラにむかって指《ゆび》さすきめポーズをとる。

「はい。おつかれさまでした、おじょうさま」

「それじゃあ、編集《へんしゅう》は、おねがいね」

どうやら撮影《さつえい》は、これでおわりらしい。

未知人《みちと》は情報収集《じょうほうしゅうしゅう》もかねて、彼女《かのじょ》たちに近《ちか》づいていった。

その足音をきいて、アンナも未知人《みちと》に気づく。

「あら、だれかと思《おも》えばオカルト信者《しんじゃ》のミントじゃない」

「ミントじゃなくて未知人《みちと》だ。それにオレは、なんでもかんでも信《しん》じてるわけじゃない」

「そうかしら」

「そっちこそ、むちゃなへりくつをこじつけるエセ科学信者《かがくしんじゃ》だろ。動画《どうが》をひととおり見てみたけど、あれじゃあ炎上《えんじょう》するのもとうぜんだ」

「あら、再生数《さいせいすう》に貢献《こうけん》してくれたのね。だったら、アンタもわたしのファンになることをゆるしてあげるわ」

アンナは、未知人《みちと》のイヤミにもまったく動《どう》じる気配《けはい》がない。

それだけ今回《こんかい》の動画《どうが》にも、自信《じしん》があるということだろう。

「で、呪《のろ》いの森には、どんないいかげんな『科学絶対主義《かがくぜったいしゅぎ》』をおしつけたんだ？」

「すべては**プラシーボ効果《こうか》**や**カラーバス効果《こうか》**、そして**認知《にんち》バイアス**によるものね」

これらのことばは、未知人《みちと》も知《し》っていた。

プラシーボ効果《こうか》というのは、たとえば医師《いし》が、なんの効《き》き目もないニセ物《もの》の薬《くすり》を本物《ほんもの》

placebo
color bath
tive bias

だと患者《かんじゃ》に信《しん》じこませて飲《の》ませることで、じっさいに薬《くすり》を飲《の》んだときとおなじ効果《こうか》が見られる現象《げんしょう》のことだ。ぎゃくに、毒《どく》だと信《しん》じこめば、体《からだ》にもわるい影響《えいきょう》があらわれる。

カラーバス効果《こうか》は、ある特定《とくてい》のものを意識《いしき》しはじめると、関連情報《かんれんじょうほう》が自然《しぜん》と目にとまりやすくなる心理効果《しんりこうか》のこと。

そして**認知《にんち》バイアス**とは、「これは、こういうものだ」という先入観《せんにゅうかん》がはたらいて、そのときに本来必要《ほんらいひつよう》であるはずの、正しい判断《はんだん》をゆがませる心理学《しんりがく》の用語《ようご》である。

「それってどれも『**思《おも》いこみ**』ってことだろ。どこが科学的《かがくてき》なんだよ」

「ここは、むかしから『呪《のろ》いの森』として世界的《せかいてき》に有名《ゆうめい》な場所《ばしょ》なのよ。伝説《でんせつ》を信《しん》じやすい人ほど体調《たいちょう》をくずしたり、たまたま機械《きかい》がこわれたのを呪《のろ》いにむすびつけてしまったりしてもおかしくないわ。それこそ、アンタなんかうってつけのカモね」

そういわれて、未知人《みちと》は、さっき自分《じぶん》におきたできごとを思《おも》いだす。

たしかに、未知人《みちと》は、この場所《ばしょ》の伝説《でんせつ》が本物《ほんもの》であってほしいと強《つよ》く思《おも》っていた。

だからこそ、ふだんよりも思《おも》いこみの力は、はたらきやすい状態《じょうたい》かもしれない。

アンナは、胸《むね》をはって自信満々《じしんまんまん》につづける。

◀バミューダ・トライアングル
三角形《さんかくけい》（トライアングル）でむすばれる魔《ま》の海域《かいいき》

「アンタも出会《であ》ったでしょう、観光客《かんこうきゃく》に」

「それがなんだよ。観光地化《かんこうちか》した怪奇《かいき》スポットなんて、世界中《せかいじゅう》でよくあるものだろ」

「そう。だからこれも、よくあるもののひとつ。この森の真相《しんそう》は、怪奇《かいき》スポットとして有名《ゆうめい》になることで、人とお金をあつめる町おこしの一環《いっかん》ね」

それをきいた未知人《みちと》は、はあ、とためいきをついて反論《はんろん》した。

「もちろん、そんな場所《ばしょ》もある。ただ、ここの説明《せつめい》は、それだけじゃまだ不十分《ふじゅうぶん》だ」

「ふうん、一応《いちおう》きいてあげようかしら」

「この森《もり》では、たくさんの人が失踪《しっそう》してる。『**ルーマニアのバミューダ・トライアングル**』とよばれてるのは知《し》ってるだろ。その説明《せつめい》はどうする?」

「へえ。アンタも一応《いちおう》しらべてきてるってわけ」

「とうぜんだ。２００頭《とう》のヒツジとともに消《き》えたヒツジ飼《か》い。ほかにも、５歳《さい》の少女《しょうじょ》がいなくなり、そのあいだの記憶《きおく》をうしなって、５年後《ねんご》にふたたびもどってきたっていう話《はなし》もある」

バミューダ・トライアングルというのは、北大西洋《きたたいせいよう》に実在《じつざい》する魔《ま》の海域《かいいき》だ。そこに侵入《しんにゅう》した、いくつもの船《ふね》や、上空《じょうくう》をとぶ飛行機《ひこうき》が、乗客《じょうきゃく》ごと消《き》えているおそろしい場所《ばしょ》なのだ。

それに似《に》た現象《げんしょう》が、この森でもおこっている。

「それも説明《せつめい》はかんたんね。世界中《せかいじゅう》で理由《わけ》のわからない失踪者《しっそうしゃ》なんてどれだけいることか。そんなことも知《し》らないようじゃ、名前《なまえ》を無知人《むちと》に変《か》えたほうがいいのではなくて？」

それをきき、未知人《みちと》は拳《こぶし》をきつくにぎりふるわせた。

アンナは、母《はは》の事情《じじょう》を知《し》らないのでしかたないが、未知人《みちと》には無神経《むしんけい》な物言《ものい》いにきこえたのだ。

たしかに、なんらかの事件《じけん》にまきこまれたか、そうでなくても本人《ほんにん》にしかわからない理由《りゆう》から、自《みずか》らの意志《いし》で失踪《しっそう》する人は、世界中《せかいじゅう》にゴマンといる。

だが、たくさんの家畜《かちく》までごっそり消《き》えているのだ。

すでにある知識《ちしき》で解決《かいけつ》できるなら、それを謎《なぞ》とはよばない。

だから未知人《みちと》は、確信《かくしん》をもってアンナに見得《みえ》をきる。

「世界《せかい》にちらばる謎《なぞ》の真相《しんそう》は、人類《じんるい》が『未《いま》だ知《し》らない』ものなんだ。でもオレは、かならずたどりついてみせる！」

そのとき——。

ヒュンッ！

未知人《みちと》とアンナのあいだをものすごいスピードでなにかが一直線《いっちょくせん》に横《よこ》ぎっていった。

「きゃああっ！」

アンナが悲鳴《ひめい》をあげる。

「おじょうさま！」

アーサーが、アンナの身《み》を守《まも》るように抱《だ》きよせる。

未知人《みちと》は、反射的《はんしゃてき》にとんできたものを目で追《お》っていた。

するとそれは、そのまま原《はら》っぱに落《お》ちてころがった。

かけよって見てみると、とんできたのは、どこにでもあるような小石だった。

だが、もしあたっていたらと思《おも》うとゾッとする。

小石とはいえ、あのスピードならば、少々《しょうしょう》のケガではすまなかったはずだ。

未知人《みちと》は、小石がとんできた方向《ほうこう》をふりむく。

しかし、そちらにはだれもいない。

見とおしのいい空《あ》き地《ち》がひろがるのみだ。

「どうした！」

あわてたようすで豪《ごう》がかけつけてくる。アンナのさけび声《ごえ》をきいてとんできたのだ。

「どこかから石がとんできた。**すごいはやさで**」

「なんだって⁉」

豪《ごう》は、あたりを見まわす。

だれかがいる気配《けはい》はない。

木々《きぎ》がたちならぶ森からは、ずいぶんはなれている。

石をなげて、すぐに木のかげにかくれたとしても、石はここまでとどかないか、山なりで勢《いきお》いのないとびかたをするはずだ。

仮《かり》にパチンコのような道具《どうぐ》であっても、ここまではとどかないだろう。

「アンナ。今《いま》の現象《げんしょう》をきみは科学的《かがくてき》にどう読《よ》み解《と》く？」

「こっ、これは……」

いいよどみながら、アンナの体《からだ》は、恐怖《きょうふ》でカタカタとふるえている。

「そ、そうよ！　きっと、たまたま小動物《しょうどうぶつ》が近《ちか》くで小石をけったか、呪《のろ》いの信憑性《しんぴょうせい》を高《たか》めるために、地元《じもと》の住民《じゅうみん》がしかけをつくっていたってところね。アーサー、近《ちか》くにあやしいものがないか、いっしょにしらべるのよ！」

そういうと、アンナとアーサーは、地面《じめん》を見ながら周辺《しゅうへん》を歩《ある》きまわりはじめる。

だが、未知人《みちと》のなかでは、確信《かくしん》めいた思《おも》いがあった。

「父《とう》さん。もしここの伝説《でんせつ》が本物《ほんもの》ならっていう前提《ぜんてい》で話《はな》すんだけど……あれはきっと、オレにたいする警告《けいこく》だ」

「どうしてそう思《おも》う」

「オレが『真相《しんそう》にたどりつく』っていった瞬間《しゅんかん》に石がとんできた。でもきっと、それはこの森に棲《す》む何者《なにもの》かにとって、つごうがわるいんだと思《おも》う」

「となると……ここの呪《のろ》いには**意志**《いし》があるってわけか。**石**だけに」

未知人《みちと》は、父《ちち》のくだらないダジャレを完全《かんぜん》にスルーした。

そのとき、異変《いへん》に気づく。

アンナとアーサーのすがたが見えない。

父《ちち》としゃべっていた短時間《たんじかん》で、そう遠《とお》くにはいかないはずだ。

「まさか……消《き》えたっていうのか」

「未知人《みちと》。なんだかようすがおかしいぞ」

あたりに、すこしずつ白い霧《きり》がたちこめてくる。

危険《きけん》を察知《さっち》した豪《ごう》は、未知人《みちと》の手をつかんだ。

「おいおい、まさか今《いま》のダジャレで森までシラケたってことか⁉」

「ふざけてる場合《ばあい》じゃないよ！」

「わかってる。いってみただけだ！」

霧《きり》は、しだいに濃《こ》くなっていく。

そしてすぐに、ふたりをまっ白な世界《せかい》におおいつくしてしまった。

未知人《みちと》は、となりにいるはずの父《ちち》のほうをむく。
だが、父《ちち》の影《かげ》すら見えない。
未知人《みちと》のひじあたりで、まっ白に溶《と》けてしまっている。
つないでいるはずの手に違和感《いわかん》をおぼえ、ギュッとにぎってみる。
すると指《ゆび》は空《くう》をつかみ、こぶしをつくった感触《かんしょく》となる。
父《ちち》の手が、消《き》えてしまったのだ。
「クソッ……!」
思《おも》わず、未知人《みちと》はポケットにしのばせているビー玉をにぎる。
その瞬間《しゅんかん》、とつぜんの頭痛《ずつう》が未知人《みちと》をおそう。
ギリギリとしめつけてくるような激痛《げきつう》だ。
未知人《みちと》は頭《あたま》をおさえながら、その場《ば》にひざをつく。
クスクスとわらい声《ごえ》がきこえてくる。
そして、霧《きり》のなかに、ぼんやりとたくさんの人影《ひとかげ》がうかびあがってきた。
「ううっ……こいつらが、この森の幽霊《ゆうれい》なのか……?」

人影《ひとかげ》のひとつが、かた手をあげる。

すると、その合図《あいず》にしたがうように、ほかのたくさんの人影《ひとかげ》が、ユラユラと霧《きり》のさらにおくへ移動《いどう》していく。あいかわらず、わらい声《ごえ》をひびかせながら。

そして、合図《あいず》をした人影《ひとかげ》も歩《ある》きだす。

しかし、ほかの人影《ひとかげ》とは反対《はんたい》の、未知人《みちと》のほうにむかってだ。

「だ、だれだ」

苦痛《くつう》にたえながら、しぼりだすように未知人《みちと》がたずねると、人影《ひとかげ》はさらに近《ちか》づいてくる。

そして霧《きり》のなかから、ひょろりと背《せ》の高《たか》い男があらわれた。

霧《きり》のせいで数十《すうじっ》センチ先も見えなかったはずなのに、男のすがただけは、みょうにはっきりと見える。

紋章《もんしょう》らしきもようが胸《むね》に刺繍《ししゅう》された、黒《くろ》い軍服《ぐんぷく》のような出《い》で立ち。

頭《あたま》には、軍帽《ぐんぼう》がのっている。

未知人《みちと》よりも年上だが、まだわかい。高校生《こうこうせい》くらいだろうか。

アジア系《けい》の見た目だが、「まるでこの世《よ》のものではないような」という形容《けいよう》がしっくく

りくるほど整《ととの》った、うつくしい顔立《かおだ》ちだ。

男は、うっすらと笑《え》みをうかべている。だが、その目だけは、わらっていない。

「みんなをどこにやったんだ」

「さてね。ああ、キミといっしょにいたオッサンはかえすよ。**もう『満席《まんせき》』だからね**」

思《おも》わずふつうに話《はな》しかけたが、日本語《にほんご》がつうじたことに未知人《みちと》はすこしおどろいた。

「『満席《まんせき》』って……なんのことだ」

だが男はその問《と》いにこたえず、動《うご》けない未知人《みちと》のあごを指《ゆび》でかるくもちあげ、ジッと目を見つめる。

と、意味深《いみしん》な笑《え》みを見せたかと思《おも》うときびすをかえし、ふたたび霧《きり》のなかへもどる。

そして、わらい声《ごえ》をひびかせていた人影《ひとかげ》とおなじように、おくへとすすみ、やがて消《き》えていった。

あたりをおおっていた霧《きり》は、しだいに晴《は》れていく。

未知人《みちと》をくるしめていた頭痛《ずつう》も、はじめからなかったかのように、いつのまにかおさまっていた。

（今《いま》のはなんだったんだろう……。幻《まぼろし》でも見せられていたのか……？　でも……）

未知人《みちと》は立ちあがると、周囲《しゅうい》を見まわす。

すると、近《ちか》くで父《ちち》がうつぶせにたおれていた。

だが未知人《みちと》がかけよると、父《ちち》はすぐに目をさまし立ちあがった。

すこしはなれたところに、アンナとアーサーもいた。そちらも無事《ぶじ》なようだ。

ところがだれにきいても、石がとんできてからのことは、おぼえていないようだった。

かつてこの森で失踪《しっそう》し、5年間《ねんかん》の記憶《きおく》をうしなってもどってきた少女《しょうじょ》のように。

「アンタが見《み》たのは幻覚《げんかく》よ。きっとこのあたりに、幻《まぼろし》を見せる植物《しょくぶつ》でも、生《は》えているんでしょうね！」

「おじょうさま、そろそろいかなければ。つぎのスケジュールにまにあいませんぞ」

アーサーが、懐中時計《かいちゅうどけい》をしめしてアンナに知《し》らせる。

「あら、もうそんな時間《じかん》？　まあ、わたしくらいになれば、取材《しゅざい》のあいてなんかいくらでもまたせたっていいのだけれど。配信《はいしん》がおくれれば、全世界《ぜんせかい》のファンが悲《かな》しむものね！　それじゃあ、ごきげんよう！」

そういうと、アンナは颯爽《さっそう》とパニエでふくらませたスカートをひるがえし、アーサーをともなって去《さ》っていった。

だが、父《ちち》・豪《ごう》だけは、未知人《みちと》の体験《たいけん》した話《はなし》をまじめにきいてくれた。

「たしかに、オレは会話《かいわ》したんだ。謎《なぞ》の人物《じんぶつ》と」

「うん。未知人《みちと》がそう思《おも》うのなら、現実《げんじつ》だった可能性《かのうせい》もまだ否定《ひてい》はできないな。それにしても――」

豪《ごう》は、きゅうにクネクネと身《み》を悶《もだ》えさせる。

「ずるいぞぉ〜、未知人《みちと》ばっかり〜。オレもそんなふしぎ体験《たいけん》したかったぁ！」

それから豪《ごう》は、録画《ろくが》しっぱなしだったはずのカメラに、なにかうつりこんでいないかと一生懸命《いっしょうけんめい》チェックしはじめた。

しかし、カメラに不具合《ふぐあい》でもおきていたのか、映像《えいぞう》はとちゅうから砂嵐《すなあらし》になっていた。

時刻《じこく》は、もう夕方《ゆうがた》。

空が、しだいにオレンジ色《いろ》に染《そ》まっていく。

「よし、町にもどるぞ。森は、くらくなったらあぶないからな」

「……わかった。でもいいの？　たいしたもの、撮《と》れてないよ」

「だいじょうぶだ。未知人《みちと》の体験《たいけん》をそのままそれっぽくしゃべるから」

「そんなんでいいの。けっこういいかげんなんだなぁ」

空《あ》き地《ち》からふたたび森のなかに入る前《まえ》に、未知人《みちと》はふと、ふりかえる。

今日《きょう》のできごとは、果《は》たして、母《はは》への手がかりとなり得《え》るのだろうか。

霧《きり》のなかで出会《であ》った男は、いったい何者《なにもの》なのか。

それともアンナがいうように、ただの幻覚《げんかく》だったのだろうか。

もしかしたら、この森にきたことで、謎《なぞ》はむしろ深《ふか》まってしまったのかもしれない。

そんなことを思《おも》いながら、未知人《みちと》は空を見あげた。

チカッ――

夕焼《ゆうや》けの空に、みょうなとびかたをする光《ひかり》を見つけた。

「あ……父《とう》さん、あれ！」

未知人《みちと》が指《ゆび》さした先を豪《ごう》も見る。

「うおっ！　まさかＵＦＯ《ユーフォー》か⁉　カメラ、カメラ！」

豪《ごう》は、あわてて機材《きざい》の入っているカバンを開《あ》けようとする。

だが、あせってファスナーが噛《か》んでしまい、うまく開《あ》けられない。

未知人《みちと》は、すかさずポケットに入れていたスマホをとりだし、動画《どうが》を撮影《さつえい》する。

「おおっ、未知人《みちと》！　ナイスプレーだ！」

光《ひかり》は、しばらくあちこちとびまわる。

そしてとつぜん、消《き》えた。

そのとき、未知人《みちと》の脳裏《のうり》にひとつの可能性《かのうせい》がひらめいた。


「もう満席《まんせき》だからね」


霧《きり》のなかで、謎《なぞ》の男はいった。

もし、あの人影《ひとかげ》がここで失踪《しっそう》した人間《にんげん》たちで、今《いま》のＵＦＯ《ユーフォー》にのせられているのだとしたら……。

だが、今《いま》は真実《しんじつ》をたしかめる方法《ほうほう》はない。

ホィア・バキュー・フォレストの呪《のろ》いは、謎《なぞ》のままだ。

未知人《みちと》は、UFO《ユーフォー》らしき光《ひかり》が消《き》えていった空を見あげ、くちびるを噛《か》んだ。


ホテルにもどり、豪《ごう》がニュースをつける。

未知人《みちと》は、ベッドにねころがりながら、なんとなく横目《よこめ》で見る。

すると、画面《がめん》に男たちの顔《かお》がうつしだされた。


「あいつらだ!」

未知人《みちと》がさけぶと、豪《ごう》も思《おも》いだしたらしい。

それは森で出会《であ》った、マナーのわるい観光客《かんこうきゃく》グループだった。

どうやら、あの森で失踪《しっそう》したらしい。

画面《がめん》はすぐに、現場《げんば》となったホィア・バキュー・フォレストの映像《えいぞう》へときりかわる。

さっきまで自分《じぶん》たちもいた、この森の映像《えいぞう》を見つめる未知人《みちと》の目は、燃《も》えさかるような闘志《とうし》に満《み》ちていた——。

エピローグ

旅《たび》をおえた未知人《みちと》と豪《ごう》は、すみなれた我《わ》が家《や》に帰《かえ》ってきた。

ふたりがすむ家《いえ》は、住宅街《じゅうたくがい》にひっそりとたたずむ洋館《ようかん》。

家《いえ》の内《うち》も外《そと》もだいぶ老朽化《ろうきゅうか》して、あちこちがいたんでいる。

ふたりぐらしにはひろすぎる家《いえ》だが、未知人《みちと》の母《はは》が、ひょっこり帰《かえ》ってくるかもしれないという思《おも》いから、ふたりは、ここをはなれられずにいた。


「——話《はなし》ってなんだい？」

洋館《ようかん》の一室《いっしつ》から、豪《ごう》の声《こえ》がきこえてくる。

本が山づみになった書斎《しょさい》のなかで、豪《ごう》はパソコンの画面《がめん》にうつった人物《じんぶつ》と会話《かいわ》していた。

その人物《じんぶつ》は、25歳《さい》くらい。

前髪《まえがみ》が長《なが》く、うしろ髪《がみ》がみじかい髪形《かみがた》で、切《き》れ長《なが》の目をしている。

「豪《ごう》、きみの報告《ほうこく》をうけて、こちらもいろいろと調査《ちょうさ》をすすめてみた。その結果《けっか》、新《あら》たにわかった事実《じじつ》がある。まずはイースター島《とう》の歩《ある》くモアイ像《ぞう》をつくった人物《じんぶつ》についてー」

画面《がめん》に、日焼《ひや》けした初老《しょろう》の男の画像《がぞう》がうつしだされた。

「名前《なまえ》はマティス・ゴンザレス。イースター島《とう》で、町工場《まちこうば》を営《いとな》んでいる62歳《さい》の男だ」

「そのゴンザレスと未確認飛行物体《みかくにんひこうぶったい》との関連《かんれん》は?」

豪《ごう》が、たずねる。

「本人《ほんにん》に記憶《きおく》はなく、関連《かんれん》も否定《ひてい》している。だが、注目《ちゅうもく》すべき点《てん》はここだ」

画面《がめん》には、ひざにおかれたゴンザレスの左手が、ズームアップされた。

その親指《おやゆび》のつけ根付近《ねふきん》には、1センチほどの小さなキズあとがある。

「ゴンザレスの左手には、過去《かこ》にインプラントをうけたと思《おぼ》しきキズあとがある」

「マイクロチップをうめこむ手術《しゅじゅつ》をほどこされたってことか」

「これはあくまでも推測《すいそく》にすぎないが。イースター島《とう》での一件《いっけん》は、未確認飛行物体《みかくにんひこうぶったい》をもつ何者《なにもの》かが、人間《にんげん》にチップをうめこんで操《あやつ》りおこなわせた、なんらかの実験《じっけん》の可能《かのう》性《せい》が高《たか》いと思《おも》われる」

「実験《じっけん》!?」

豪《ごう》は、思《おも》わず息《いき》をのんだ。

動揺《どうよう》する気持《きも》ちをおさえ、さらに質問《しつもん》を重《かさ》ねる。

「……で、先日《せんじつ》、報告《ほうこく》したルーマニアの件《けん》は?」

「その件《けん》については、まだ調査中《ちょうさちゅう》だ。きみのむすこさんが目撃《もくげき》した、軍服《ぐんぷく》すがたのアジア系《けい》の男は、大変興味深《たいへんきょうみぶか》い。今《いま》、エージェントを増員《ぞういん》して、しらべさせているところだ」

「そいつは、たのもしいな」

「じつは今年《ことし》に入って、未確認飛行物体《みかくにんひこうぶったい》がからんだ失踪事件《しっそうじけん》が、右肩《みぎかた》あがりにふえているんだ」

「それらの事件《じけん》に、軍服男《ぐんぷくおとこ》が関連《かんれん》していると?」

「すくなくとも、うちのボスはそう見ているる」

「……そっか。ボスにつたえてくれ。〝ルーマニアのホテルは最高《さいこう》だった。いつも豪《ごう》華《か》な旅《たび》をさせてくれてありがとう〟――と」

「了解《りょうかい》。伝《つた》えておく」

あいては、そうこたえると、通信《つうしん》をきった。

豪《ごう》は、机《つくえ》の上におかれた写真立《しゃしんた》てを手にとる。

写真《しゃしん》にうつっているのは、未知人《みちと》の母親《ははおや》――豪《ごう》の妻《つま》である女性《じょせい》だ。

「結《ゆい》……きみにもう一度《いちど》会《あ》えると、オレは信《しん》じているぞ」

豪《ごう》はひとりつぶやき、さびしげにほほ笑《え》むのだった。

［第《だい》2巻《かん》につづく］

作 木滝りま　きたき・りま（執筆：プロローグ、1章、2章、エピローグ）

茨城県出身。小説家、脚本家。児童書の作品に「科学探偵 謎野真実」シリーズ（朝日新聞出版）、『世にも奇妙な物語 ドラマノベライズ 恐怖のはじまり編』（集英社）、「みんなから聞いたほっこり怖い話」シリーズ（岩崎書店）など。脚本作品にドラマ「カナカナ」「念力家族」「ほんとにあった怖い話」、アニメ「スイートプリキュア♪」など。

作 太田守信　おおた・もりのぶ（執筆：3章、4章、5章）

立教大学文学部ドイツ文学科卒業。小説家、脚本家、演出家、俳優。漫画「ブルペンキャッチャー真壁満人」（ホーム社）原作、「〜はんなり京都〜浄化古伝」（双葉社）小説構成、「行ってはいけない世界遺産」（花霞和彦・著、CCCメディアハウス）リサーチ協力、ドラマ「ダ・カーポしませんか?」脚本協力など。他、舞台脚本多数。

絵 先崎真琴　せんざき・まこと

ゲーム会社勤務後、独立。ゲーム、アニメ、VTuberキャラクターデザイン、CDジャケットイラスト、書籍挿絵などで活躍する。作品に「Fate/Grand Order」「FF14FreestyleArt」「ときめきレストラン☆☆☆」など多数。趣味はゲームと謎解き。

装丁・本文フォーマット　みぞぐちまいこ（cob design）

協力　樋野友三（&REAM,Inc.）

写真出典

P6,85,87,94-95 Created by modifying By KaoLee - Own work, CC BY - SA 4.0, https://commons.wikimedia.org/w/index.php?curid=87551089
P6,117 Science Photo Library/ アフロ
P7,55,カバー Created by modifying "Raynham Hall viewed straight up the avenue ", By Nigel Jones, CC BY-SA 2.0, https://commons.wikimedia.org/w/index.php?curid=8874852
P7,143,151 Created by modifying By Miclaus George, CC BY 3.0, https://commons.wikimedia.org/w/index.php?curid=56189285
P15 Created by modifying By Uwe Dedering - Own work, CC-BY-SA-3.0, https://commons.wikimedia.org/wiki/File:Pacific_Ocean_laea_relief_location_map.jpg
P22-23 Shutterstock
P24-25 Created by modifying By Dropus - Own work, CC BY-SA 4.0, https://commons.wikimedia.org/w/index.php?curid=37410201
P31 Created by modifying By Bjarte Sorensen - Own work, CC BY-SA 3.0, https://commons.wikimedia.org/w/index.php?curid=88323
P32 Created by modifying By Rivi - Own work , CC BY - SA 3.0, https://commons.wikimedia.org/w/index.php?curid=681936
P60 Created by modifying By Wheatley Hill - Own work, CC BY-SA 4.0, https://commons.wikimedia.org/w/index.php?curid=84756460
P60-61 Created by modifying By Chris Wood - Own work, CC BY - SA 3.0, https://commons.wikimedia.org/w/index.php?curid=378841
P65 Created by modifying By John Fielding, CC BY 2.0, https://flickr.com/photos/29372296@N00/19107195793
P91 Created by modifying By 藤谷良秀 - Own work, CC BY - SA 4.0, https://commons.wikimedia.org/w/index.php?curid=39789756
P97,98,カバー 大学共同利用機関法人人間文化研究機構 国立歴史民俗博物館
P152 salajean / PIXTA(ピクスタ)
P153 Photo by Getty Images

セカイの千怪奇 ①幽霊屋敷レイナムホール

2022年8月31日　第1刷発行
2023年10月31日　第2刷発行

作　者　　木滝りま　太田守信
画　家　　先崎真琴
発行者　　小松崎敬子
発行所　　株式会社 岩崎書店
〒112-0005 東京都文京区水道1-9-2
電話 03-3812-9131（営業）
03-3813-5526（編集）
振替 00170-5-96822
印刷・製本　三美印刷株式会社

NDC 913
ISBN 978-4-265-82101-3

Published by IWASAKI Publishing Co.,Ltd. Printed in Japan
ご意見ご感想をお寄せください。　E-mail　info@iwasakishoten.co.jp
岩崎書店ホームページ　https://www.iwasakishoten.co.jp
落丁本・乱丁本は小社負担にておとりかえいたします。